DE LA MÊME AUTRICE

Aux Éditions Gallimard

PUZZLE, théâtre (avec Jean-Yves Cendrey), 2007.

MON CŒUR À L'ÉTROIT, roman, 2007 (repris dans « Folio », n° 4735).

TROIS FEMMES PUISSANTES, roman, 2009 (repris dans « Folio » n° 5199), prix Goncourt.

LES GRANDES PERSONNES, théâtre, 2011.

LADIVINE, roman, 2013 (repris dans « Folio » n° 5830).

LA CHEFFE, ROMAN D'UNE CUISINIÈRE, roman, 2016 (repris dans « Folio » n° 6471).

VINGT-HUIT BÊTES : UN CHANT D'AMOUR, avec les illustrations de Dominique Zehrfuss, collection « Hors série Littérature », 2016.

TROIS PIÈCES, théâtre, 2019.

ROYAN. La professeure de français, monologue, 2020.

Aux Éditions Mercure de France

AUTOPORTRAIT EN VERT, 2005 (« Traits et portraits » ; repris dans « Folio » n° 4420).

Aux Éditions de Minuit

QUANT AU RICHE AVENIR, roman, 1985.

LA FEMME CHANGÉE EN BÛCHE, roman, 1989.

EN FAMILLE, roman, 1991.

UN TEMPS DE SAISON, roman, 1994 (« double », n° 28).

LA SORCIÈRE, roman, 1996 (« double », n° 21).

HILDA, théâtre, 1999.

Suite des œuvres de Marie NDiaye en fin de volume

LA VENGEANCE M'APPARTIENT

MARIE NDIAYE

LA VENGEANCE M'APPARTIENT

roman

GALLIMARD

L'homme qui, le 5 janvier 2019, entra timidement, presque craintivement dans son cabinet, Me Susane sut aussitôt qu'elle l'avait déjà rencontré, longtemps auparavant et en un lieu dont le souvenir lui revint si précisément, si brutalement qu'elle eut l'impression d'un coup violent porté à son front.

Sa tête bascula légèrement en arrière, de sorte qu'elle ne put répondre tout de suite au bonjour, un murmure embarrassé, de son visiteur et qu'une gêne dura entre eux même après que Me Susane se fut ressaisie, l'eut salué aimablement, souriante, cordiale, rassurante comme elle se faisait un point d'honneur de l'être d'emblée envers quiconque venait la voir au cabinet.

À deux reprises elle se frotta le front, machinalement, croyant avoir là une sourde blessure puis n'y pensant plus.

Lorsque, le soir, assise dans son lit, elle lèverait de nouveau une main lente et lourde vers son front avant d'arrêter son geste puisqu'elle n'éprouvait en vérité aucune douleur, elle se rappellerait brusquement comme elle avait eu mal en voyant entrer dans son bureau cet homme discret, menu, insignifiant de figure comme de silhouette.

Considérable fut son étonnement : pourquoi avait-elle ressenti de la souffrance et non de la joie ?

Pourquoi, persuadée de revoir, trente-deux ans plus tard, quelqu'un qui l'avait ravie, avait-elle eu l'impression qu'on voulait la tuer ?

Me Susane écouta longuement Gilles Principaux, songeant plusieurs fois : Je te connais et je connais ton histoire, et confondant ainsi sa certitude d'avoir eu, autrefois, partie liée avec cet homme et ce qu'elle savait, pour l'avoir lu dans la presse, du grand malheur qui l'accablait.

Jamais, durant cet entretien, il ne lui permit de deviner s'il se souvenait de l'avoir rencontrée, si même, peut-être, ce souvenir lointain avait influé sur sa décision de venir la trouver.

Car de quelles affaires d'importance pouvait se prévaloir Me Susane ?

Qu'est-ce qui avait pu inciter, se demandait-elle, un homme aisé, ravagé mais lucide, à élire Me Susane pour la défense de sa femme, si ce n'était, peut-être, une brumeuse, superstitieuse allégeance aux lumineux instants que l'existence avait offerts ?

Cependant Principaux ne lui dit rien des raisons même embrouillées, même sottes de son choix.

Il fixa Me Susane d'un regard d'abord fuyant puis qui se fit de plus en plus assuré à mesure qu'il répondait à ses questions, et Me Susane ne put discerner, malgré ses efforts, dans ce regard posé sur son visage le soupçon d'un : Je te connais.

Comme elle ne pouvait lui demander : Pourquoi êtes-vous venu me voir, moi qui ne suis pas, sur la place de Bordeaux, une avocate renommée, et étant donné la gravité de l'affaire ? elle l'informa que sa femme, Marlyne Principaux, mise en examen, devait accepter officiellement que Me Susane la représentât.

Était-elle d'accord ?

— Bien évidemment, lui répondit-il sur un tel ton d'évidence, avec, d'un coup, quelque chose de si sec, de si antipathique dans ses traits contractés que Me Susane douta l'espace d'une seconde d'avoir devant elle celui qu'elle n'avait jamais oublié.

— Me Lasserre, jusqu'ici l'avocat de ma femme, nous ne l'aimons pas, ni Marlyne ni moi, lui avait dit Principaux en arrivant. Je tiens donc à ce que nous en changions, pour le bien de Marlyne.

À l'instant où Principaux se leva pour partir, elle lui demanda s'il avait habité, autrefois, le quartier de Caudéran.

— Oui, dit-il, quand j'étais jeune, pourquoi ?

Il lui sourit alors et toute sa figure s'anima joyeusement, puérilement, soudain parée d'un charme que Me Susane nota avec d'autant plus d'empressement que cette même figure lui avait semblé, une minute auparavant et à sa vive déception, presque rebutante.

Mais pourquoi devait-elle se sentir déçue, que Principaux fût celui dont elle se souvenait ou qu'il n'eût rien à voir avec tout cela ?

Elle lui répondit, prise de court, qu'elle avait connu dans son enfance une famille de Caudéran.

Elle n'eut pas besoin de l'entendre s'exclamer : Il y en a beaucoup ! pour se rendre compte de l'absurdité de sa propre réponse.

Beaucoup de monde, en effet, vivait à Caudéran.

Qui était, pour elle, Gilles Principaux ?

Comment le savoir, comment se fier à cette intuition exaltante, blessante, inquiétante qu'il avait été l'adolescent dont elle s'était éprise à jamais, autrefois, dans une maison de Caudéran qu'elle aurait été incapable de reconnaître aujourd'hui ?

Me Susane se surprit à bafouiller.

— Comment s'appelait cette famille ? lui demandait Principaux avec un air d'attente excité, comme s'il se réjouissait déjà d'un lien qu'il ne manquerait pas d'établir entre ces gens et lui-même, voire, songea-t-elle, comme s'il se réjouissait à la perspective de devoir si nécessaire inventer et rendre plausible un lien entre cette famille et lui-même, pour donner à Me Susane le plaisir d'une connivence, d'un rapport entre toutes choses.

— Je ne sais pas, enfin je ne sais plus, murmura Me Susane.

Elle lui dit enfin, reprenant son ton d'avocate, qu'elle attendait la lettre de Mme Principaux qui la désignerait pour sa défense.

Elle ouvrit sa porte, s'effaça pour le laisser sortir.

Alors il s'appuya au chambranle et, d'une voix mourante, caverneuse, souffla :

— Vous seule pouvez nous sauver.

Me Susane, plus tard, douterait de sa mémoire, ne parvenant pas à décider s'il avait dit : « nous sauver » ou « me sauver ».

Il ajouta quelque chose de banal, comme :

— Vous allez nous tirer de ce cauchemar, n'est-ce pas ?

Cela ne manqua pas d'étonner Me Susane.

L'espoir d'être arraché aux effets d'une atroce erreur judiciaire, d'une épouvantable méprise, elle ne pouvait que le comprendre.

Mais, en ce cas précis, le cauchemar ne résultait d'aucune confusion, d'aucun malentendu, il était la vie même de cet homme et les actes qui brisaient cette vie avaient eu lieu et ne pouvaient être défaits puisque les morts n'allaient pas s'extraire de son rêve pour naître une seconde fois.

Principaux, se dit-elle, voulait-il donc être réveillé ?

Pensait-il vraiment que, dans sa vie d'après, un matin clair et diaphane ses enfants courraient vers lui de nouveau, intacts, joyeux et candides ?

De quel songe exactement voulait-il, grâce à Me Susane, se trouver délivré ?

Quand elle rentra chez elle ce soir-là, les pluies verglaçantes venaient de mettre le tram hors service.

La veille encore, sentant ses chaussures patiner sur le pavé gelé, sa première pensée aurait été pour Sharon.

J'espère qu'elle a pu prendre le tram à temps, se serait dit Me Susane qui n'aimait pas voir repartir à vélo, dans la nuit glaciale, sa femme de ménage.

Mais elle ne pensa pas à Sharon ce soir-là, trop appliquée à se remémorer chaque détail de la visite de Principaux, anxieuse déjà de constater que certains mots prononcés par lui ne s'étaient pas fixés rigoureusement dans sa mémoire (avait-il dit « ma femme » ou « mon épouse », avait-il dit le prénom de celle-ci ou Me Susane croyait-elle s'en souvenir parce qu'elle avait lu ce prénom de Marlyne dans le journal ?), et pressée de rejoindre son appartement afin de noter tout ce qui lui restait en tête.

Qui était Gilles Principaux pour elle ?

De sorte que, ouvrant sa porte, découvrant le couloir, le salon, la cuisine entièrement, ostensiblement illuminés, elle eut une courte réaction d'effroi puisqu'elle avait oublié que Sharon, peut-être, serait encore là malgré le tram à l'arrêt et bien que Me Susane lui eût toujours dit qu'elle pouvait rentrer chez elle au moment qui lui convenait, que le travail (si maigre en vérité) eût été accompli ou non.

Me Susane avait toujours dit ou laissé entendre à Sharon qu'elle préférait savoir celle-ci s'occupant paisiblement de ses enfants, les aidant dans leurs leçons et pensant judicieusement à leur lendemain que de la trouver chez elle à une heure tardive.

Cela me gêne, n'osait lui dire Me Susane, que vous jugiez indispensable de récurer une baignoire dans laquelle je ne me plonge jamais, de laver chaque semaine des vitres propres au travers desquelles, du reste, mon regard ne se porte guère, et des wc que je nettoie scrupuleusement chaque jour afin que vous n'ayez jamais à souffrir du moindre contact avec mon intimité, oui, n'osait lui dire Me Susane, cela me gêne grandement que vous preniez à la lettre mon souhait d'employer quelqu'un qui veille sur mon intérieur et que, par honnêteté, vous trouviez le moyen de passer des heures à parfaire maniaquement ce que j'ai déjà accompli par décence, par pudeur, cela me gêne, oui, ne pouvait dire à Sharon Me Susane qui n'avait jamais éprouvé jusqu'alors le besoin d'avoir une femme de ménage, qui avouait même, contre un tel besoin, une indéniable prévention.

Sharon, je vous emploie par militantisme, pour vous aider et favoriser une cause que je défends, aussi n'est-il pas nécessaire que vous vous montriez envers moi scrupuleuse, probe, irréprochable, comme si vous pouviez craindre que je ne sois pas satisfaite de vous, je le serai toujours, Sharon, puisqu'à la vérité je ne vous demande rien, ne lui disait pas Me Susane, par décence encore, bien que d'une autre nature.

Son cœur surpris ne s'était pas apaisé lorsque Sharon vint à sa rencontre dans le couloir.

Me Susane lui donna, selon son habitude, une brève accolade, elle sentit son cœur cogner contre la poitrine muette, tranquille, imperturbable de Sharon qui jamais ne manifestait physiquement, toujours forte, fataliste et gaie, que sa vie pût être plus difficile que celle de Me Susane.

Même, il semblait parfois à celle-ci que Sharon la plaignait.

En tout cas Me Susane avait réussi à faire de cette supposition un motif de plaisanterie lorsqu'on l'invitait à dîner et qu'elle devait, se disait-elle, payer son écot de bonnes histoires, elle-même ne recevant pas.

Elle lançait alors, enflammée et cynique, gouailleuse et affligée :

— Figurez-vous que ma Sharon ne m'envie pas du tout, bien au contraire !

Et ses amis riaient puis prenaient un air grave pour tenter d'analyser les raisons qui empêchaient Sharon de se rendre compte à quel point Me Susane la devançait sur le plan du bonheur, qui empêchaient Sharon de comprendre qu'elle aurait dû aspirer à être Me Susane plutôt qu'elle-même, Mauricienne sans titre de séjour, dotée mais encombrée aussi de deux enfants à l'avenir bien incertain et d'un époux dont Me Susane entrevoyait la profonde déprime.

N'était-ce pas là, cependant, pur assemblage spéculatif ?

Car Sharon ne lui montrait jamais qu'un visage serein et son cœur battait doux et presque imperceptible lorsque Me Susane la pressait contre elle, son propre cœur sauvage tentant vainement de dévoyer celui de Sharon, de l'amener à son niveau d'ardeur et de révolte – dans quel but ?

Me Susane ne savait le dire.

— Sharon, vous auriez dû rentrer chez vous, il n'y a plus de tram ce soir.

Me Susane éteignit les folles lumières du plafond.

Sharon, il n'est pas nécessaire d'allumer toutes les lumières de l'appartement, ne disait pas non plus Me Susane, car cette marque de respect à mon égard, cette sollicitude que vous pensez devoir témoigner à votre patronne qui rentre tard et fatiguée en éclairant de mille feux son apparition ne conviennent pas à mon esprit de frugalité, d'économie, de tempérance dans les menus actes de la vie quotidienne, non, Sharon, vraiment, n'allumez que les lampes indispensables à votre travail, ne lui dirait jamais, au grand jamais Me Susane.

Elle avait une telle affection pour Sharon que ces petits agacements ne lui paraissaient pas mériter le risque de voir passer dans l'œil gris-vert de la jeune femme l'ombre d'une déception ou d'une quelconque anxiété.

Que Sharon pût redouter quoi que ce fût venant d'elle, voilà qui accablait Me Susane.

Je travaille pour vous, Sharon, je ne vous infligerai jamais la moindre vexation et je ne vous donne aucun ordre, disait muettement Me Susane dans l'espoir que ces pensées charitables, impétueuses, ferventes sortent de son esprit comme des œufs dans la frayère : alors les propres songes de Sharon, ses émotions inconnaissables s'uniraient aux déclarations silencieuses de Me Susane et elle en éprouverait peut-être de l'espérance, résultat de la fusion virginale, inexprimée de l'angoisse et de la confiance.

Je ne vous laisserai jamais tomber, Sharon, croyez en moi, pensait intensément Me Susane.

— Je vais vous ramener chez vous, dit-elle à Sharon.

Elle ajouta, voyant celle-ci soudainement inquiète :

— Je vous le disais à l'instant, le tram ne circule plus, les rails ont gelé.

— Ce n'est pas possible, merci, j'ai mon vélo, on ne peut pas le mettre dans la voiture, s'écria Sharon.

Pourquoi donnait-elle souvent à Me Susane l'impression qu'elle ne voulait aucune sorte de relation hors des murs de l'appartement ?

Croyait-elle, et en avait-elle peur (et pourquoi donc ?), que Me Susane souhaitait devenir son amie ?

Me Susane n'y prétendait nullement.

Mais il lui était arrivé, une fois, de croiser Sharon et ses enfants dans un hypermarché du Lac, et que Sharon, très manifestement, eût feint de ne pas la voir l'avait froissée.

Sharon, vous ne vous exposez à aucun danger en acceptant de me reconnaître, de me saluer, de me présenter vos enfants qui vous sont comparables en grâce et en beauté, comment pourrais-je vous nuire, comment pourrais-je jamais désirer vous faire la proie d'un quelconque maléfice ?

Je n'ai aucun intérêt, Sharon, à vous employer, cela me coûte et je n'aime pas être servie.

Je veux simplement, Sharon, faire le bien, à ma façon.

Me Susane ôta son manteau constellé de gouttes

glaciales, le suspendit à la patère de l'entrée avant que Sharon eût pu s'en saisir.

La jeune femme, minuscule, étroite de visage, d'épaules, de hanches, comme si elle avait décidé de n'occuper dans le monde qu'un espace très limité, levait sur Me Susane, qui était grande et large, imposante et sûre, son regard glauque et doux, tourmenté.

— Je vous ramène en voiture, dit prudemment Me Susane, et demain matin vous prenez le tram et vous venez récupérer votre vélo.

— Non ! cria Sharon avec une sorte de désespoir farouche, implacable, qui décontenança Me Susane. Ça ne m'arrange pas, reprit Sharon lentement, mais merci, merci, merci.

Me Susane leva la main, conciliante et modeste, terriblement embarrassée.

Puis, l'anicroche étant oubliée (sauf de Me Susane dont l'esprit particulier tendait à se rappeler éternellement ce qui n'avait nul besoin de l'être et à oblitérer les souvenirs les plus plaisants), Sharon prit une voix joyeuse pour décrire à Me Susane ce qu'elle avait accompli durant les heures de son emploi, dans cet appartement de la rue Vital-Carles certes imposant d'aspect (plancher point de Hongrie, cheminée dix-septième, hautes fenêtres à petits carreaux) mais d'une superficie médiocre, quarante mètres carrés probablement arrachés à un logement d'importance qu'on avait naguère divisé pour mieux le vendre.

Me Susane savait qu'il n'y avait aucun motif rationnel à la présence chez elle d'une Sharon énergique, pleine de vaillance et d'entrain, déterminée à prouver que sa force de travail était exploitée de manière utile, voire nécessaire.

Me Susane savait qu'elle n'avait pas besoin de la vigueur, de la jeunesse, des aptitudes de Sharon, elle savait bien que toutes ces qualités se trouvaient gaspillées chez elle où il n'y avait littéralement rien à faire.

Mais comment agir autrement ?

Elle s'occupait du dossier de Sharon, de la demande d'un titre de séjour pour toute la famille.

— Eh bien alors à demain, lui dit-elle. Merci, Sharon, soyez bien prudente sur votre vélo.

Elle empoigna soudain la petite main de Sharon, la tira vers elle, murmura :

— Vous savez, je vais avoir une grosse affaire. Une femme qui a tué ses trois enfants, tout jeunes, trois petits, vous voyez.

Sharon reprit sa main d'un geste brusque en même temps qu'un saut en arrière la protégeait de Me Susane, de son souffle, de ses propos, de son étrange fougue peut-être.

— C'est horrible, marmonna-t-elle d'une voix pleine de dégoût et de froideur.

Et c'était aussi clair que si, fermant les yeux, elle avait posé les mains sur ses oreilles : Oh, je ne veux pas en entendre davantage !

Elle se détourna, décrocha son blouson du portemanteau, se pencha pour enfiler ses bottes fourrées.

Me Susane remarqua alors que le maigre col du blouson par ailleurs bien léger pour l'hiver ne protégeait pas le cou si fin, doré et palpitant de Sharon.

Elle se précipita vers sa chambre d'où elle revint avec une écharpe de cashmere orange.

La mère de Me Susane la lui avait offerte, celle-ci ne l'avait jamais portée, trop peu sûre de son propre éclat pour arborer ce feu à son cou.

Sans un mot, elle la noua au cou de Sharon.

Je ne vous dis rien car je ne veux pas, Sharon, que vous refusiez mon écharpe, je ne veux pas discuter avec vous du fait que vous pourriez prendre froid ce soir en rentrant à vélo jusqu'à Lormont.

Sharon resta silencieuse elle aussi, se laissant faire comme une enfant impuissante condamnée à subir l'inexplicable violence des adultes et Me Susane pouvait ou croyait sentir sous ses doigts, comme elle attachait les deux extrémités de l'écharpe sur la nuque de Sharon, trembler d'effroi ou de répulsion le frêle squelette de la jeune femme.

La veille encore, elle en aurait été blessée profondément.

Qu'est-ce donc qui, en moi, Sharon, vous empêche de m'aimer alors que je vous traite avec le plus grand respect et que je m'occupe généreusement de votre cas, puisque vous ne me paierez pas pour mon travail ? Il ne vous vient pas à l'esprit, Sharon, que j'aurais pu, pour accepter de traiter votre affaire, exiger d'être rémunérée, et vous seriez restée seule et désemparée, vous n'avez pas d'argent, je ne me serais pas chargée de votre problème et jamais mêlée de votre vie ? Comment pouvez-vous, Sharon, n'avoir aucune idée de cette situation ? Comment pouvez-vous être à ce point courageuse et légère, méticuleuse et ingrate, impressionnable en général et si sèche à mon égard ? Ne suis-je pas, Sharon, une femme tout comme vous ?

Oui, la veille encore, le comportement de Sharon l'aurait affectée si bien qu'elle aurait mangé avec rancune et chagrin le dîner préparé par son employée.

Elle aurait avalé de l'amertume, de la tristesse, un plat de larmes, les siennes, honteuses et humiliantes, incapable alors de savourer les aliments que Sharon savait accommoder de façon exquise, trop bouleversée même pour se consoler en songeant que Sharon n'aurait pu cuisiner semblablement pour quelqu'un qu'elle haïssait – Sharon ne devait donc pas la haïr et Me Susane était sotte et sensible à l'excès.

Ce soir-là, elle laissa calmement Sharon s'en aller à sa manière furtive, tendue, hostile, comme s'il y avait eu entre elles un grave conflit non débattu.

Elle referma la porte et ses pensées divaguèrent aussitôt loin de Sharon.

Elle fit réchauffer le riz frit, les crevettes au gingembre, le porc sauté à l'ail et les carottes bien tendres.

Et tandis que, concentrée sur Principaux, elle avait oublié Sharon ou plutôt relégué Sharon dans un coin de son esprit où rien ne pesait, elle se régala de son dîner comme rarement.

Cependant, et alors qu'elle avait toujours eu un bon sommeil, la réveilla cette nuit-là une question qui ne cesserait de la tracasser : pourquoi Principaux se tournait-il vers elle, d'où la connaissait-il ?

Devait-elle entendre ce choix comme le désir de Principaux que sa femme fût défendue au mieux ou, au contraire, comme son intention perfide qu'elle ne le fût pas si bien que cela ?

Car Me Susane n'avait ouvert son cabinet que l'année précédente, elle avait eu peu de clients encore, des affaires sans intérêt.

À la place de Principaux, se dit-elle, elle serait allée voir Me * ou Me * dont tout le monde connaissait les succès dans les cas difficiles, certainement pas l'obscure Me Susane qui, âgée de quarante-deux ans pourtant, pouvait faire l'effet d'une novice.

Tout avocat réputé aurait accepté avec délectation la

défense de Marlyne Principaux tandis que Me Susane, au fait de l'histoire, aurait dû se contenter d'en rêver.

Qui était Gilles Principaux pour elle ?

Qui était Me Susane pour Principaux ?

Avaient-ils, se demandait-elle, les mêmes souvenirs ou ni lui ni elle n'étaient-ils la personne que chacun croyait se rappeler ?

Peu avant l'aube, à l'instant de se rendormir pour deux heures à peine, lui apparut l'image de la gracile Sharon pédalant vers Lormont sur les routes verglacées, se pressant pour retrouver un foyer dont elle était, croyait comprendre Me Susane, le pivot.

Alors elle ne put s'empêcher de voir Sharon tombée à terre, du sang coulant de son crâne et imbibant l'écharpe orange qui attesterait la brutalité de Me Susane – car une patronne normalement attentionnée n'aurait-elle pas insisté pour garder à l'abri son employée, se serait-elle accommodée de lui nouer une écharpe au cou pour mieux la jeter sur des routes dangereuses ?

Me Susane se tourna plusieurs fois dans son lit.

Elle construisait sa propre défense : Je voulais qu'elle reste, je le lui ai proposé derechef, elle a refusé avec cet air qu'elle avait de paraître préférer mourir plutôt que de...

Personne ne croirait à une telle version, elle s'enfoncerait, songea Me Susane dans un sentiment de tristesse et d'impéritie qui baigna ses rêves jusqu'au matin.

Puis, à huit heures, elle fut dehors de nouveau, toujours dans la nuit, marchant contre le vent glacial jusqu'au parking Tourny où elle garait sa voiture.

Me Susane mettait une certaine coquetterie à laisser entendre auprès de ses amis qu'elle se souciait fort peu du standing de son véhicule, qu'elle s'arrangeait très bien de conduire une Twingo de vingt ans toute cabossée, même qu'elle trouvait plaisir à se montrer indifférente à d'aussi conventionnelles questions de prestige.

Me Susane ne détestait pas que ses amis l'imaginent ainsi : libre, folâtre, indépendante d'esprit – espérant en son for intérieur que de telles appréciations finiraient par la modeler, par la contraindre de s'y ajuster et qu'elle deviendrait réellement une femme au charme discrètement excentrique.

Me Susane savait qu'elle se forgeait, sur ce point, des fantasmes.

Elle rêvait d'avoir les moyens d'acquérir une belle, une grosse, une fastueuse voiture.

Elle avait pris en grippe sa vieille Twingo sympathique et sentait d'ailleurs que ses parents supportaient mal qu'elle roule encore dans un tel véhicule alors qu'ils la voulaient prospère, puisque c'est ainsi qu'elle se présentait à eux, qu'elle leur racontait sa vie et ses affaires (*oh elle les aimait tant !*).

Ses parents habitaient La Réole où Me Susane avait vécu enfance et adolescence.

Si M. Susane, employé communal, avait vu d'un œil favorable que sa fille unique entame des études universitaires, c'était parce qu'il avait été évident pour lui qu'elle deviendrait fonctionnaire, et son plaisir, sa délicate fanfaronnade d'homme modeste avaient consisté à dire à ce sujet :

— Un jour elle sera ma supérieure au boulot, elle me commandera !

Il avait toujours semblé à Me Susane que son père aimable et doux ne pouvait se figurer plus éclatante réussite que celle d'une fille gouvernant le travail des hommes de son espèce.

Il disait volontiers, fier et humble :

— Elle en sait plus que nous.

Une ambition plus vaste, confuse, déchirée avait poussé Mme Susane à suivre d'aussi près que possible les études de sa fille, l'encourageant, la stimulant alors même que Me Susane avait plutôt souffert, jeune femme, de sa propre tendance à travailler excessivement, qu'elle n'avait eu nul besoin d'être encouragée ni stimulée, qu'elle aurait préféré être apaisée, retenue dans sa frénésie de labeur et que les exhortations de Mme Susane, à la fois tendres, inquiètes et désordonnées (car elle ne pouvait pénétrer ce qu'étudiait sa fille, elle ne pouvait que l'entrevoir d'un œil effaré), l'avaient souvent menée au bord de l'épuisement nerveux.

Me Susane avait alors senti avec chagrin et angoisse qu'il tenait à très peu de chose (son amour infini pour eux ? son orgueil ?) qu'elle ne sombre dans ce que sa mère redoutait et tâchait pesamment de lui éviter : l'abandon des belles aspirations, le repli vers un cursus médiocre, rassurant, conforme à son destin social.

Elle les aimait tant !

Si douloureusement parfois !

Ils la comprenaient si profondément et cependant si mal au niveau où Me Susane souhaitait être comprise – dans ses faiblesses ordinaires, qu'ils ne voyaient pas, dans ses craintes, qu'ils ne pouvaient imaginer !

Elle les aimait tant, si douloureusement parfois qu'elle rêvait, affligée, malheureuse et coupable, de leur disparition !

C'est qu'elle les aimait tant, comment faire autrement que de leur mentir ou, tout au moins, de leur présenter une version séduisante de son existence, du monde en général, pour leur éviter la douleur de la vérité ?

Qui étaient-ils, cependant, se disait Me Susane, pour se voir épargner la douleur de la vérité, pour se voir protégés de leurs diverses ignorances, paresses et autres complaisances religieuses en regard de la vie dure et vraie ?

Elle leur en voulait parfois d'être de ces gens qu'on devait ménager, mettre à l'abri des peines simplement parce qu'ils étaient bons et émotifs.

Donnez asile à mon cœur tracassé, consolez-moi, recevez mes plaintes et sachez interpréter les signes d'une affliction qui me ronge et que j'ignore moi-même – secourez-moi comme le font les parents vigilants !

Tous les parents prévenants que connaissait Me Susane portaient sur leurs enfants adultes un regard dénué d'illusions.

Ils cheminaient auprès d'eux pragmatiques et vaillants, le bras toujours prêt en cas de chute, tout conseil remisé, et nulle place n'était laissée, dans ce commerce, à la déception, ni dans son sentiment ni dans son expression.

Alors que Me Susane n'oubliait jamais, elle, qu'une information distraitement lancée devant eux, une doléance, un banal regret pouvaient transformer leurs visages ouverts et rieurs, candides et francs en masques d'anxiété.

C'était si peu raisonnable qu'elle en éprouvait de l'impatience puis, aussitôt, de la pitié.

Elle les réconfortait, songeant : Quand me réconforterez-vous enfin ? Est-ce bien m'aimer que de m'interdire, par le fait, de vous confier mes insuffisances ?

Mais ils l'aimaient tant, elle le savait !

Leur arrivait-il, dans leur amour incommensurable, de souhaiter parfois le repos de cet amour, la disparition de Me Susane ?

Elle se disait qu'elle l'aurait compris parfaitement.

Ce matin-là, ce matin froid et ardent, comme elle roulait vers La Réole sur une autoroute où circulaient en grand nombre des véhicules beaucoup plus puissants que le sien et qu'elle avait l'impression de devoir se faire toute petite sur la voie de droite pour les laisser déployer leur prééminence autoproclamée, elle pensait une fois de plus que, n'eût été cette histoire de voiture qui l'empêchait de tricher, M. et Mme Susane auraient été tout disposés à se persuader que la carrière de leur fille était florissante.

Elle pouvait leur raconter ce qu'elle voulait.

Elle avait travaillé dans un gros cabinet de Bordeaux puis décidé, deux ans plus tôt, de monter le sien, de se lancer, comme disaient ses parents sans avoir la moindre idée de ce qu'il leur fallait penser d'une telle initiative.

Ils se fiaient à la voiture, savait Me Susane.

Les modèles et la marque étaient pour eux l'étalon indiscutable de la réussite ou de l'échec.

Ils avaient raison, ils avaient raison !

Me Susane avait honte de désirer changer de voiture.

Elle sentait cependant que l'estime qu'elle se portait en serait accrue puisque ses parents l'aimeraient davantage encore.

Bien que ne sachant rien, ne comprenant rien, ils voyaient juste dans le brouillard de leur réflexion : le cabinet de Me Susane n'allait pas fort.

N'était-il pas naturel que, déçus comme ils étaient encore les seuls parents à oser l'être, ils manifestent à

Me Susane une tendresse rafraîchie et qu'ils regardent sa vieille Twingo avec gêne, comme, songeait Me Susane, des vêtements malpropres, l'indice que leur fille ne menait pas sa vie avec la rigueur qu'ils lui avaient enseignée ?

Elle se gara sur les quais, assez loin de chez eux pour qu'ils ne voient pas sa voiture depuis leurs fenêtres (il leur arrivait d'oublier ce sujet quand ils ne l'avaient pas sous les yeux), puis elle monta l'éreintant escalier qui menait à la vieille ville.

Elle emprunta des rues étroites et sombres.

L'aube grise se distinguait à peine de la nuit.

La maison de ses parents se trouvait au fond d'une impasse que fermait un haut mur de parpaings – cette maison tant aimée, cette maison incomparable de son enfance radieuse !

La notion de demeure parfaite était née ici même dans l'entendement de Me Susane puis avait irradié vers toutes les fibres de son être durant sa jeunesse en ces lieux pourtant, avait-elle fini par comprendre, bien peu enviables, étroits, obscurs, humides.

Jusqu'au jour où elle avait accompagné sa mère dans une certaine maison de Caudéran, son logis de La Réole avait été pour elle un séjour enchanté.

Elle ne l'en avait pas moins aimé à son retour de Caudéran mais elle avait perçu, son œil soudain dessillé, que d'autres maisons étaient des séjours enchantés, et d'une intensité autrement considérable.

Qui était Gilles Principaux pour elle ?

Comment Principaux avait-il pu sortir d'un Caudéran délicieux pour se retrouver sur la scène d'épouvante dont elle avait lu le récit dans la presse ?

Et si, se demanda-t-elle soudain en frappant à la porte

de ses parents, l'épouvante était née de la merveille, et s'il avait choisi précisément l'épouse qui devait le châtier pour avoir grandi dans le monde des fées ?

Mais, elle, Me Susane, ne se trompait-elle pas d'individu ? *Qui était Gilles Principaux dans son histoire ?*

C'est à peu près la question qu'elle posa à Mme Susane une fois le café bu et qu'elle eut assuré à ses parents surpris de sa visite que tout allait pour le mieux dans sa vie.

Dans la petite cuisine qui donnait sur l'impasse, sous la lumière trouble de la suspension en opaline verte et fer forgé, elle se sentait quiète et maîtresse de son temps comme chaque fois qu'elle repassait le seuil de la maison et bien qu'elle eût vu l'habituel éclair d'appréhension traverser les yeux de ses parents lorsqu'elle était entrée.

Ils semblaient lui dire, embarrassés et nerveux : Nous sommes bien, nous sommes tranquilles, nous ne voulons pas que tu nous annonces quoi que ce soit de déplaisant et pourtant c'est notre rôle de t'accueillir, de recevoir de mauvaises nouvelles, mais nous ne le voulons pas, nous repoussons cela de toutes nos forces, voilà pourquoi nous n'avons eu qu'un enfant, toi que nous aimons mais de qui nous souhaiterions parfois ne recevoir aucune nouvelle de peur qu'elle ne soit mauvaise. De sorte que nous envions parfois une certaine paix de l'esprit : celle des couples unis ayant eu la sagesse (ou s'y étant résignés avec sagesse) de n'avoir pas d'enfant par qui peuvent toujours arriver les mauvaises nouvelles ou les déceptions, voire les aberrations et les récits de scènes d'épouvante, et cette enfant soudain étrangère, ce fruit de notre désir et de notre amour-propre, nous fait songer amèrement : Rien ne nous obligeait, nous avons été faibles et vaniteux et voilà cette femme, notre fille, débarquant chez nous à l'aube d'une journée d'hiver pour nous annoncer quelque chose qui peut-être va ruiner notre sérénité à jamais.

Me Susane se souviendrait d'avoir dit à sa mère, feignant de ne pas remarquer que celle-ci se mettait sur ses gardes, quelque chose comme (ton enjoué, voix légère) :

— Maman, tu te rappelles, je t'ai accompagnée autrefois dans une maison de Caudéran où tu travaillais, c'était un mercredi et tu n'avais pas pu faire autrement que de m'emmener, j'avais dans les dix ans je pense.

— Je ne sais pas, je ne me souviens pas, répondit lentement Mme Susane.

Elle eut unc expression théâtrale, celle de lever les yeux vers la suspension d'opaline et la froide lumière olivâtre, affectant de rassembler ses souvenirs, pinçant les lèvres en signe d'effort et de perplexité.

— J'ai travaillé dans beaucoup de maisons de Bordeaux, tu sais, je finis par tout confondre.

— Oui, bien sûr, dit Me Susane. Ces gens-là, ils s'appelaient peut-être Principaux.

— Principaux comme cette femme qui... ?

— Oui. Je me demandais juste, comme ça, s'il s'agissait de la même famille...

Il n'était jamais arrivé à Me Susane d'attendre une réponse dans un tel état d'espoir et d'anxiété, ne sachant pas ce qu'elle souhaitait entendre.

Elle devait pourtant le savoir souterrainement puisqu'elle se sentit désappointée lorsque Mme Susane, catégorique, obtuse, fermée à toute pression, lui assura qu'elle ne se rappelait pas avoir travaillé pour des Principaux.

— Se pourrait-il, osa Me Susane, que tu aies complètement oublié le nom de certains de tes employeurs ?

— Évidemment, gronda Mme Susane, comment veux-tu que je me souvienne de tous et pourquoi je ferais un tel effort, tu crois qu'ils se souviennent de mon nom, eux ?

— Alors il se pourrait que tu aies travaillé dans la maison des Principaux, à Caudéran, et que tu ne t'en souviennes pas ?

Me Susane suppliait presque, à son grand désarroi.

Elle tentait d'amener à elle une vérité qui s'accordât avec ce qu'elle était venue chercher souterrainement et sans être certaine qu'elle s'en porterait bien.

Et Mme Susane résistait en conscience, bien décidée à ne pas se rappeler ce nom de Principaux si tel était vraiment le cas.

Mais dans quelle mesure ne se le rappelait-elle point parce qu'elle sentait que sa fille voulait passionnément qu'elle se le rappelât ?

Me Susane était sceptique.

Alors elle s'abandonna, elle quitta sa voix menteuse, sa voix lourdement désinvolte, elle accepta que le ton de son récit corresponde à l'émoi qui la faisait soudainement transpirer et trembler sous la suspension d'opaline, si bien qu'elle en devint pantelante comme une biche acculée.

Son histoire était pourtant joyeuse, songeait-elle.

Elle se voyait haletante, à la fois échauffée et transie comme s'il y avait eu la moindre difficulté à raconter le moment le plus heureux de son existence.

Mme Susane l'observait d'un air concentré, avide et anxieux, peut-être bien approbateur néanmoins.

Elle interrompit Me Susane une première fois, s'exclamant :

— C'est vrai, oui, cette maison était merveilleuse !

Puis une seconde fois, criant presque :

— Ces gens, je les ai adorés, ils étaient fantastiques.

Ajoutant, sa pudeur langagière offensée légèrement, alors avec un peu de défi, de bravoure, la volonté d'être honnête :

— Ils étaient la bonté même, n'est-ce pas ?

Me Susane se surprit à pinailler (que n'avait-elle déjà obtenu pourtant d'une Mme Susane si réservée !).

Elle tint à préciser que cette famille de Caudéran, qui ne s'appelait peut-être pas Principaux, s'était montrée sans doute moins bonne qu'ensorcelante.

— Mais le résultat est le même, dit Mme Susane, ils ont été bons, ils ont été admirables et très très aimables, non ?

— Ils nous ont envoûtés, dit Me Susane dans un petit rire sans joie.

Ce fut ainsi qu'elle conclut son récit.

Sa mère murmura alors, souriant pour elle-même :

— J'ai pénétré dans cette maison comme dans un bois lacté.

— Qu'est-ce que tu racontes ? gronda M. Susane.

Il n'avait encore rien dit.

Me Susane s'en souvint : il n'aimait pas les mystères, l'étrangeté l'humiliait personnellement.

Il réprouvait le goût pour les paradoxes de l'existence, les hasards curieux, pour les supputations et la rêverie.

Il était doux et gentil cependant et Me Susane, l'unique enfant de cet homme-là, ne pouvait se rappeler une seule fois où il l'aurait rabrouée ou grondée sans motif.

Comme elle l'aimait !

Et c'est parce qu'elle aimait tant ce père terre à terre

qu'elle s'était forcée à sourire quand Mme Susane avait dit « bois lacté », espérant que ce petit sourire complaisant rassurerait son père quant au fait qu'elle était de son côté, là où commandait la raison.

Mais elle se répétait, bouleversée : c'était bien cela, c'était le bois lacté, c'était le lieu où la joie simple et pure nous soumettait comme par sortilège.

— Cette maison de Caudéran, demanda-t-elle à Mme Susane, est-ce que tu saurais la retrouver ? Tu te souviens de l'adresse ?

Sa mère secoua la tête, navrée.

— Je n'y ai été qu'une fois, tu sais.

Puis, s'adressant à M. Susane avec un air de défi modeste, elle lui raconta cette journée d'hiver, quelque trente ans plus tôt, où elle était allée faire du repassage chez ces gens de Caudéran dont elle ne se rappelait pas le nom, dont elle avait tout oublié, l'aspect de leur maison, leur visage, leurs propos et leur allure mais jamais l'obligeance avec laquelle ils l'avaient reçue (car, en effet, elle s'était sentie traitée en invitée par ce couple dont elle remplaçait pour une unique journée la femme de ménage habituelle).

Elle avait repassé le linge dans la cuisine, des vêtements élégants et doux très peu froissés comme de par leur propre volonté de courtoisie à son endroit, et la cuisine lui avait paru être une réplique gracieuse de la sienne, non qu'elle lui ressemblât mais parce que la pièce, douée elle aussi de ses propres intentions généreuses, l'avait accueillie avec chaleur et civilité, lui avait dit : Tu es ici chez toi, et Mme Susane avait acquiescé sans l'ombre d'une arrière-pensée sarcastique, elle qui, travaillant chez les autres depuis l'adolescence, avait l'habitude d'évoquer ses employeurs sur un ton de dérision amère.

C'était presque une manie, reconnaissait-elle, puisqu'elle ne faisait plus de différence entre les gentils et les mauvais, qu'elle les remuait tous ensemble dans le grand pot de son persiflage acerbe.

— Mais eux, non, jamais, affirma Mme Susane en fixant son mari comme pour l'empêcher de la contredire.

La femme de Caudéran lui avait proposé un café, et du jus d'orange pour la petite qui l'accompagnait, l'homme était sorti de son bureau pour la saluer et lui souhaiter la bienvenue.

Mme Susane, de son propre aveu, en aurait été gênée si elle n'avait pas compris d'emblée que l'affabilité de ce couple était consubstantielle à leur personnalité, qu'ils ne jouaient pas à se montrer ravis de sa présence mais qu'ils l'étaient réellement durant le temps où ils devaient, cette présence, l'unir à la leur dans la maison, comme d'excellents chiens, expliqua Mme Susane avec sérieux, qui se réjouissent de voir du monde quand bien même ils auront tout oublié des visiteurs une fois ceux-ci partis.

Voilà, oui, dit Mme Susane en terminant, ses patrons éphémères de Caudéran avaient manifesté très simplement un plaisir de l'avoir chez eux qu'elle n'avait jamais rencontré dans aucune maison.

À cela s'ajoutait leur libéralité : ils lui avaient donné pour son travail le double de ce qu'elle demandait habituellement, sans en parler, sans le lui signaler, dans un mouvement égal en franchise et, presque, en candeur à celui qui avait fait demander à la femme de Caudéran, plusieurs fois au cours de l'après-midi, lorsqu'elle entrait dans la cuisine, si « tout allait bien, vraiment », d'une voix chaude et douce, joyeuse et empressée.

— Tu comprends pourquoi, j'espère, dit Mme Susane

à son mari non sans véhémence, tu comprends maintenant pourquoi je me souviens de cette maison comme d'un lieu surnaturel ?

— Oui, grommela M. Susane.

— Comme d'un pays des merveilles ?

Il hocha la tête, mécontent néanmoins.

— Alors je peux bien dire « bois lacté », qu'est-ce que ça te fait ?

— Ça me fait, dit posément M. Susane, que je n'aime pas ces mots-là, ils nous trompent.

Me Susane se leva, rinça sa tasse dans l'évier.

Elle voulait s'en aller à présent, n'ayant pas obtenu de réponse à la question qui l'avait fait venir :

Principaux avait-il un rapport avec le bois lacté de Caudéran ?

Par ailleurs elle sentait vibrer entre ses parents un agacement inaccoutumé, elle s'en voulut de l'avoir provoqué.

Mais, avant qu'elle leur eût signifié qu'elle rentrait à Bordeaux, M. Susane s'approcha d'elle, posa une main tendre et légère sur ses cheveux, juste au-dessus de l'oreille.

— Ma petite, murmura-t-il en souriant, tu travailles trop, tu veux déjà te sauver, je le vois bien.

Elle protesta mollement, laissant entendre cependant que de nombreux dossiers l'attendaient en effet.

Elle n'avait presque rien en vérité, deux divorces à l'amiable, un changement de nom et la demande de carte de séjour pour la famille de Sharon.

Ses pauvres parents, comme elle les abusait !

— Je n'ai pas bien compris, dit alors M. Susane d'une voix étranglée, ce qu'il s'est passé dans cette chambre, à Caudéran. Qu'est-ce qu'il a fait exactement, ce type ?

— Mais, papa, je viens de vous le raconter ! s'écria Me Susane.

Elle était si choquée que son coude heurta l'évier et fit tomber la tasse qui se fracassa au sol.

Me Susane, contente de cette diversion, entreprit de ramasser les morceaux.

Elle reprit alors, accroupie, le visage penché vers le carrelage :

— Je ne comprends pas ta question, papa. Je viens de vous faire le récit de cet après-midi, je n'ai omis aucun détail quand il avait un sens et un intérêt dans le cadre de mon histoire, quand il signifiait quelque chose d'éloquent, je vous ai aussi, je crois, laissé entendre que ces quelques heures passées avec ce jeune homme (je le voyais ainsi du haut de mes dix ans, il devait en avoir quatorze ou quinze seulement) sont de celles que je me remémore aujourd'hui avec délice, avec nostalgie aussi puisque, c'est vrai, je ne vous l'ai peut-être pas dit, je n'ai jamais retrouvé chez aucun garçon, aucun homme, nul être vivant en fait, ce charme étrange qui m'a en quelque sorte fatalement conduite à l'adorer.

— Mais qu'est-ce qu'il a fait ? demanda M. Susane d'une voix douloureuse.

— Rien, papa ! Tu ne comprends donc pas ? Strictement rien par rapport à ce que tu veux dire par là !

Qu'avait-il fait ? se demandait-elle sur la route du retour, ses mains tremblant légèrement sur le volant.

Qu'avait fait ce garçon qui était peut-être Gilles Principaux dans cette chambre, la sienne, où il l'avait si gentiment invitée à entrer ?

Il avait remarqué la présence de cette petite fille assise

auprès de sa mère qui repassait dans la cuisine le linge de la maisonnée.

Il lui avait dit probablement quelque chose comme :

— Tu dois t'ennuyer assise là à ne rien faire, viens, je vais te montrer ma chambre.

Elle l'avait suivi, à la fois bouleversée d'un tel honneur et anxieuse de se montrer à la hauteur de cette distinction, après un bref regard vers sa mère qui lui avait adressé, croyait se rappeler Me Susane, un bon, un large sourire : Va, ma fille, va te distraire un peu !

Sa mère déjà subjuguée, heureuse et reconnaissante, sa mère confiante, ambitieuse pour Me Susane, voulant que sa fille fasse montre d'un caractère intrépide et curieux, rencontre du monde, des gens différents d'eux (M. et Mme Susane satisfaits de ce qu'ils étaient, ne souhaitant rien d'autre que ce qu'ils avaient), et prétendant à hausser sa fille très au-dessus d'elle-même, sa mère naïve, follement aimante, à la fois contente de son sort et rêvant que Me Susane prît en horreur, pour elle-même, un tel sort !

Va (obéis-lui), suis ce garçon plus instruit que ton père et moi ne le serons jamais et pose tes yeux voraces sur les murs de cette chambre où sont accrochées certainement des œuvres intéressantes, sur les étagères où doivent être rangés des livres que tu ne trouves pas chez nous, va (obéis-lui, sois polie) et commence ainsi ta propre et fructueuse éducation, va, va, fuis-nous, échappe-toi de notre modeste influence (obéis-lui, sois polie) !

Car sa mère était ainsi : passionnée par l'élévation de Me Susane et consciente de ses carences quoique n'en ayant nulle honte inutile.

L'adolescent qui était peut-être Gilles Principaux avait montré à Me Susane sa collection de fossiles, lui avait fait écouter un disque de Dire Straits.

Il l'avait fait asseoir près de lui sur le canapé qui occupait un coin de la pièce fort éloigné, aux yeux de Me Susane, du lit, de l'armoire à vêtements, pareil à un petit salon indépendant des fonctions pratiques de la chambre, ce qui lui sembla de la plus grande élégance.

D'une voix à la fois détachée et suave, recrue et délicate, il lui avait demandé ce qu'elle pensait de tout cela : les fossiles, la musique, l'atmosphère de la maison en général.

Et Me Susane, à qui personne n'avait encore jamais demandé d'analyser puis de critiquer ce qu'elle voyait, après quelques secondes de désarroi s'était lancée bravement, livrant sur un ton d'abord peureux puis de plus en plus confiant son plaisir, son enthousiasme, avouant qu'elle aimait au plus haut point cette chambre et cette maison et cette famille et tâchant, avec son jugement et ses mots de dix ans, d'expliciter ces sentiments.

Le garçon s'était montré exigeant.

Il la reprenait à la moindre faute de langage.

Il susurrait :

— Tteu, tteu lorsqu'elle digressait ou se montrait malhabile, l'incitant, l'obligeant même (elle voulait tellement lui plaire !) à comprendre aussitôt ce qu'il attendait, ainsi que Me Susane avait vu ses parents dresser Bouly, le chien de son enfance.

Elle avait extrait de son cerveau ce que celui-ci recelait de plus perspicace, de plus malin, d'enjôleur et de roué.

Le garçon avait paru content, il avait caressé ses cheveux que Me Susane avait alors longs et soyeux.

Il l'avait complimentée, flattée, évaluée aussi d'une note dont Me Susane ne se rappelait pas le chiffre.

Lui avait-il dit : Tu es une bonne petite élève, tu me plais bien ?

Me Susane n'en était pas certaine.

Elle l'avait peut-être, cette phrase, inventée dans son lit ce soir-là, encore bouleversée et vibrante des émotions presque insoutenables de l'après-midi, lequel s'était achevé dans le torrent de son propre discours.

Car elle n'avait cessé de parler au garçon qui, croyait-elle se rappeler, se contentait de l'écouter en la relançant parfois d'un mot, d'une question, amusé sans doute et fier certainement d'avoir amené sans y travailler beaucoup cette fillette à se connaître elle-même ou à entrevoir ce qu'elle devait devenir.

— C'est grâce à lui, venait de confier Me Susane à ses parents, que je suis avocate aujourd'hui.

Sa figure s'était alors échauffée sous l'effet d'un léger embarras, comme si, assurée d'être sincère, elle découvrait en le disant qu'elle ne l'était pas tout à fait sans néanmoins savoir comment elle était peut-être insincère, sans même parler du pourquoi puisque, pour la première fois, elle ouvrait son cœur à ses parents.

Mais que t'a-t-il fait dans cette chambre ?

Comme l'indignait cette question de M. Susane !

Elle en suffoquait, inattentive à la route.

Son père n'avait donc rien compris, comme toujours, bien qu'il jurât l'aimer (bien qu'il l'aimât, oui, n'était-ce pas plus grave alors ?).

Il m'a fait, n'avait pas dit Me Susane par miséricorde, ce que devraient faire des parents pour leurs enfants, il m'a fait prendre conscience des plaisirs dont j'avais le goût et du talent qui était sans doute le mien pour argumenter et disserter et ses mains ont effleuré mes cheveux, mes joues, mon cou, ses mains contentes de moi m'ont cajolée comme le font des parents heureux ou comme vous récompensiez Bouly quand il s'était bien comporté durant la période de dressage.

Voilà tout !

Et Bouly vous a aimés jusqu'à la fin de sa vie, n'est-ce pas ?

N'étiez-vous pas pour Bouly les êtres dont dépendait son bonheur en ce monde ?

Me Susane s'arrêta sur une aire d'autoroute.

Sa réflexion devenait confuse, elle plaidait lamentablement, mais pour qui du reste ?

Pour Principaux ?

Pour le garçon de Caudéran qui n'était peut-être pas Principaux ?

Ou pour elle-même qui s'acharnait à considérer cet après-midi depuis longtemps révolu comme le plus gai, le plus exact de son existence ?

Elle était prête à défendre le garçon avec ardeur face à ses parents et à ses propres souvenirs forcément nébuleux.

Elle faisait confiance bien davantage à l'opinion qu'elle s'était forgée du garçon trente ans auparavant qu'aux visions qu'elle avait de lui aujourd'hui, influencées, transformées par l'air du temps.

Son père, M. Susane...

Dans les toilettes de la station-service elle passa ses mains frémissantes sous l'eau froide, s'obligea à se sourire dans le miroir.

Son père, M. Susane, probablement jaloux du garçon de Caudéran, de ce que ce dernier avait transfiguré en elle, avait tenté maladroitement (car il était gentil dans le fond) de souiller quelque peu ce souvenir.

Et après ?

M. Susane avait ses raisons, quelle importance ?

Elle l'aimait et elle aimait d'autre part passionnément le souvenir qu'elle avait de Caudéran, de ce garçon qui l'avait initiée, éclairée !

Elle les comprenait tous, son père dubitatif, méfiant, sa mère visionnaire et aveuglée, l'adolescent joueur, pédagogue et charmé presque malgré lui et à sa propre surprise.

Car elle l'avait étonné et conquis, elle avait soliloqué avec virtuosité, avec emportement, avec fougue (à quel sujet, elle ne pouvait s'en souvenir), et ce garçon plus âgé avait su reconnaître son talent, il s'était incliné devant celui-ci, avait même peut-être prononcé cette phrase : Tu es vraiment très forte, chapeau !, tandis qu'elle parlait à en perdre le souffle, à la fois grisée et anxieuse, sûre d'elle et affolée – elle ne risquait cependant pas, se dit Me Susane en remontant dans sa voiture, d'avoir la gorge tranchée une fois tarie sa logorrhée.

Non, le garçon ne serait pas allé jusque-là.

Elle avait plaisanté devant ses parents, tout à l'heure :

— Je n'étais pas la jeune fille face au cruel sultan !

Rentrant dans Bordeaux, au lieu de retourner directement au cabinet elle obliqua vers le quartier de Caudéran, ses maisons-tombeaux, son parc gourmé.

Il faisait si froid et si gris encore que les rares passants dont écharpes, cols relevés, bonnets ou chapkas masquaient le visage lui semblaient aller dans les rues comme des ombres sur les allées d'un cimetière.

Elle roulait lentement, inspectant chaque façade, tentant de se rappeler dans quelle maison elle était entrée avec sa mère trois décennies plus tôt.

Elle revoyait vaguement des briques d'angle, des colonnettes peut-être, plusieurs balcons de pierre.

Rien n'était certain.

Elle aurait pu reconnaître, pensait-elle, la cuisine, la chambre du garçon, la situation de cette chambre par rapport à la cuisine – mais de la maison, de son importance comparée aux autres elle ne se souvenait pas.

Elle en était dépitée, mécontente d'elle comme si non pas sa mémoire mais son intelligence faillait, sa capacité d'être à la hauteur de toute situation la concernant profondément.

Elle rôda plus longtemps que nécessaire.

Elle s'avoua qu'elle cherchait Principaux, quoique sachant qu'il n'habitait plus là.

Mais il aurait pu décider, n'est-ce pas, d'aller voir ses parents en ce matin morne et gelé, elle le verrait ouvrir une porte ou presser une sonnette et saurait alors qu'il ne faisait qu'un avec l'adolescent irrémédiablement logé dans son âme – *une tumeur enkystée ?*

Me Susane secouait la tête vigoureusement, se répondant à elle-même avec une sorte d'indignation.

Elle s'arrêta sur un parking, appela sa mère.

— Ce garçon, maman, c'est l'enkystement d'une pure joie !

— Oui, dit Mme Susane.

— Maman, à quoi ressemblait la maison ?

Mme Susane prit le temps de réfléchir :

— C'était, je crois, une villa mauresque, dit-elle enfin d'une voix circonspecte, presque interrogative.

— Mauresque, tu crois vraiment ? Je n'en connais pas dans ce quartier.

— Oui, reprit Mme Susane précipitamment, c'est qu'on l'a détruite il y a peu, je l'ai lu dans le journal.

— Ah mais tu confonds !

Me Susane tenta de dissimuler à quel point elle était déçue.

— La Villa Mauresque, maman, se trouvait à Pessac, pas à Caudéran, elle était abandonnée et, oui, elle a été rasée il y a quelques années. Cela n'a rien à voir avec ce dont je te parle, la maison de ces gens qui...

Mme Susane l'interrompit :

— En tout cas je la revois ainsi, une maison orientale, étrange, magnifique, complètement différente des autres, c'est pour cela que j'ai dit mauresque, j'aurais pu dire aussi bien...

Elle s'arrêta net et la communication fut coupée.

Il sembla alors à Me Susane, abasourdie, que sa mère lui avait raccroché au nez.

Elle s'apprêtait à la rappeler quand Mme Susane lui envoya un texto :

« J'arrête là, ton père en a assez de cette histoire, je ne veux pas me disputer, tu comprends. À propos de toi il dit : Soit elle parle et dit la vérité (le fameux après-midi), soit elle se tait et on oublie, fini les délires. Tu le connais, il est carré, trop parfois. Moi je crois ce que tu racontes, ce garçon t'a édifiée, ouverte, formée comme nous on ne pouvait pas le faire. Ton père ne peut pas comprendre ça, c'est normal. Il est concret, il ne voit que des corps, des haleines, des mauvaisetés, il se méfie des hommes (des mâles), il ne les aime pas, il voudrait tous les tuer parfois (ha ha !), même ceux qui n'ont que quinze ans, les pauvres ! Ne me réponds pas, je préfère que ton père ne sache pas (que tu me réponds, le petit ding du portable) puisque, là, je t'écris en cachette. Adieu ma fille chérie. »

Me Susane avait souvent entendu, dans la région, des vieilles gens utiliser « adieu » pour « au revoir » ou même pour « bonjour » mais sa mère n'avait pas l'habitude d'une telle expression.

Elle s'en trouva inquiète, puis agacée de l'être et gagnée par le ressentiment, envers Mme Susane qui faisait des mystères et M. Susane qui s'opposait à ceux-ci de manière bornée.

Oui, elle les aimait tant qu'elle désirait parfois ne plus rien avoir à faire avec eux, ses chers parents exténuants, si peu clairvoyants (et comme il était facile, pensait-elle, d'être purs comme ils l'étaient, ainsi protégés de vérités dégoûtantes !).

Quand elle travaillait encore comme collaboratrice dans le cabinet de la place Tourny, Me Susane n'avait jamais pu leur parler de certains dossiers qui l'intéressaient fortement.

— Stop ! s'exclamaient-ils sur un ton à la fois léger et ferme, c'est trop affreux, on ne veut rien savoir !

Elle se sentait alors obscurément sale, indécente et amorale, elle que ces affaires captivaient.

Leur refus têtu d'apprendre sur les agissements de leurs contemporains ce que la simplicité de leur vie et de leurs pensées les empêchait de connaître lui interdisait de se trouver curieuse à bon escient.

Elle en arrivait à éprouver une vague honte du goût qu'elle avait pour les histoires, pour la vie des clients.

De cette honte, elle leur en voulait – qui étaient-ils donc pour...

Très bien maman chérie, adieu donc ! murmura Me Susane pour elle-même.

Elle classa le numéro de ses parents dans les « appels bloqués ».

Puis elle reprit la route, s'évertuant à se sentir délestée, emplie cependant d'une tristesse, d'une mélancolie dont elle attribuait la raison au ciel froid et livide, à sa vieille voiture au chauffage défectueux.

Ses doigts bleuis agrippaient malaisément le volant.

Elle grelottait sous son manteau, dans les plis nombreux de son écharpe autour de son cou, une écharpe grise, élégante à ses yeux, d'un style discret et raffiné dont sa mère aurait dû savoir qu'il représentait ce qu'elle aimait ou tout au moins ce qu'elle se permettait (était-ce si différent ?).

Pourquoi Mme Susane lui avait-elle offert, au Noël précédent, cette écharpe de laine potiron ?

Ni Me Susane ni ses parents ne portaient jamais de telles couleurs.

Mme Susane rêvait-elle de voir sa fille ainsi : originale et gaie, avec l'outrance d'une flamme sur son col comme la protestation d'un esprit affranchi ?

À l'instant où elle se disait qu'elle était bien contente d'avoir obligé Sharon à repartir protégée de l'écharpe orange, espérant d'ailleurs que Sharon ne se sentirait pas tenue de la lui rapporter mais n'y croyant guère, Me Susane, saisie d'une intuition brumeuse, choisit de repasser chez elle avant d'aller au cabinet.

Sharon n'était pas à l'appartement, contrairement à ce qui aurait dû être.

Me Susane déjeuna (finit les restes de l'excellent dîner préparé par Sharon), attendit jusqu'à quatorze heures, s'en alla enfin.

Elle avait appelé Sharon en vain, tombant systématiquement sur la boîte vocale.

Elle marchait vers le cabinet quand l'inquiétude lui fit changer d'idée.

Elle remonta dans sa voiture et commanda au gps de la guider jusqu'à l'adresse de Sharon à Lormont.

Le brouillard engloutissait Bordeaux sans que le gel s'en trouvât amoindri et Me Susane conduisait, lui semblait-il, à l'aveuglette, lentement, ne discernant pas grand-chose dans la lueur chétive de ses phares, forte pourtant de la conscience obstinée qu'elle se devait d'aller trouver Sharon chez elle où elle ne s'était encore jamais rendue, où il ne lui était encore jamais venu à l'esprit de se rendrc bien qu'elle s'occupât activement des affaires de Sharon : lui obtenir, ainsi qu'au mari et aux enfants, un titre de séjour en France.

Un ami de Me Susane, elle ne se rappelait même plus lequel tant elle avait d'amis sans importance, avait lancé un soir, dans un dîner :

— Est-ce que quelqu'un serait intéressé par ma femme de ménage ? Une Mauricienne sans papiers mais irréprochable par ailleurs.

Me Susane s'était écriée qu'elle était partante, non parce qu'elle avait envie d'un tel service ni véritablement les moyens de se l'offrir en toute légalité, mais parce que la désinvolture de cet ami lui avait semblé fort coupable.

— Tu devrais te soucier de sa situation, lui avait-elle dit, et d'autant plus si tu as une bonne opinion d'elle, tu ne peux pas te contenter de l'employer comme ça, sans essayer de l'aider.

— Mais que veux-tu que je fasse ? avait répliqué ce

vague ami. Occupe-toi d'elle, il n'y a que toi ici qui puisses le faire efficacement.

C'est ainsi que Sharon était entrée dans la vie et dans le travail de Me Susane, sans que celle-ci, cependant, fût bien certaine que Sharon l'eût compris.

Elle avait demandé plusieurs fois déjà une copie de son acte de mariage à Sharon, lui expliquant que ce document lui était nécessaire pour entamer les démarches à la préfecture, lui disant également que si Sharon n'avait pas ou ne pouvait retrouver cet acte elle devait l'en informer au plus vite afin qu'elle, Me Susane, constituât différemment le dossier.

Sharon lui avait déclaré qu'elle lui apporterait le document.

Elle avait eu une moue confuse et blessée, comme si Me Susane avait sollicité quelque chose d'intime que Sharon était prête à lui concéder bien à regret.

Cela faisait six semaines déjà.

Me Susane attendait toujours le certificat.

Elle avait relancé Sharon, prudemment mais à plusieurs reprises.

Chaque fois Sharon arborait son air meurtri, courageux, distant, assurant d'une voix presque inaudible qu'elle y pensait, et chaque fois Me Susane se trouvait décontenancée, absurdement embarrassée comme si, véritablement, elle avait forcé la saine morale de Sharon.

Elle avait fini par renoncer à lui répéter : Sharon, si vous n'avez pas ce document, dites-le-moi, ce n'est pas si grave, je me débrouillerai, car Sharon manifestait alors qu'elle était offensée (parce que Me Susane l'aurait soupçonnée de n'être pas mariée et l'aurait alors jugée bien sévèrement ?).

Sharon, ce sont des enfantillages, ne pouvait lui dire Me

Susane, je me moque de savoir si vous êtes mariée ou non au père de vos enfants ou à l'homme qui vous a suivie en France et que vous présentez comme tel, dites-moi simplement, Sharon, ce qu'il en est de votre situation et je m'y adapterai pour vous servir au mieux. J'ai fait profession, Sharon, de ne juger personne, et surtout pas une femme comme vous, jamais.

Ces mots, Me Susane se contraignait à ne pas les prononcer, ayant l'intuition que Sharon leur ferait exprimer le contraire, qu'elle se persuaderait que Me Susane jurait de sa propre largesse d'esprit pour mieux dissimuler ses préventions (quant à la réalité matrimoniale de Sharon).

Elle fut plus longue qu'elle ne l'avait prévu à trouver l'adresse.

C'était, au ras d'une route très passante, une vieille maison transformée en immeuble de rapport.

Me Susane se gara sur le trottoir étroit, n'ayant pas le courage de chercher une place dans ce quartier inconnu.

Comme elle ne vit ni sonnette ni interphone elle poussa la porte entrebâillée, se retrouva dans un couloir encombré de conteneurs à poubelles débordants, de vieux vélos, de poussettes, de prospectus jetés à terre.

Le froid humide exaltait maussadement ce mélange d'odeurs rances.

Sharon, jeune femme nette, peau brillante de santé, empruntait donc chaque jour ce couloir nauséabond, malsain, et ses deux beaux enfants de même, et leurs visages fins et lisses, exquis, parfaits traversaient l'air insalubre, se poissaient d'invisibles particules de cette atmosphère nocive !

Me Susane sentait monter en elle une indignation excessive, déplacée.

Elle s'interdit de penser plus avant à ces gamins dont le sort n'avait pas de raison de lui importer plus que celui de beaucoup d'autres.

Mais elle avait été si affectée, à son propre étonnement, lorsque Sharon avait feint de ne pas la voir dans l'allée de l'hypermarché où elle déambulait avec ses enfants que Me Susane en arrivait à considérer que, si on lui permettait de rencontrer enfin la fillette et le petit garçon aux traits si purs, elle s'en sentirait profondément honorée.

Et cette espérance lui faisait éprouver envers ces mioches (elle les appelait ainsi en elle-même, M. et Mme Susane usaient naturellement de ce terme désuet et tendre. Voilà notre mioche ! aimait s'exclamer M. Susane quand elle leur rendait visite) un sentiment protecteur tout empreint d'inquiétude.

Hésitante, elle choisit de monter à l'étage plutôt que de frapper d'abord aux portes du rez-de-chaussée, croyant se rappeler que Sharon avait évoqué un pénible escalier à gravir lorsqu'elle rentrait chargée de courses – rare, peut-être unique allusion qu'avait faite Sharon à propos de son existence à Lormont.

Non, en vérité, il y en avait eu une autre, cependant Me Susane ne s'en souvenait plus (cela avait-il trait au mari, aux enfants, au logement, impossible de le dire ! Elle en avait été sourdement choquée toutefois, mais pour quel motif ?).

L'escalier était étroit et rude.

Il avait été conçu pour mener aux chambres de cette ancienne maison individuelle, non pour y faire grimper dans son logis une mère de famille dont dépendait entièrement, avait compris Me Susane, la survie des siens.

Elle cogna timidement à la porte la plus proche de l'escalier.

Tout la rebutait, la scandalisait sans la surprendre.

Qui ose leur louer, probablement fort cher, un tel lieu, murs lépreux, prises électriques hors d'âge, vasistas muré ? songeait-elle dans un mouvement d'indignation machinal même si sincère.

Au bout d'un long moment la porte s'entrouvrit sur le visage anxieux et méfiant d'un homme qui ressemblait à Sharon et aux merveilleux enfants de celle-ci : mordoré, délicat, paupières sensibles et frémissantes.

— Je suis Me Susane, l'employeuse de Sharon.

Elle souriait trop, voulant le rassurer.

Il murmura quelque chose qu'elle ne comprit pas puis, s'obligeant à sourire largement comme elle le faisait, il ouvrit plus grand la porte, son beau regard empli d'une expectative tourmentée.

Mon dieu, que faites-vous là ? Quelle horrible annonce dissimule votre sourire ?

— Tout va bien, s'empressa de dire Me Susane, je me demandais juste si Sharon était restée à la maison aujourd'hui, peut-être, avec ce froid...

Il réfléchit, calculant rapidement, désespérément (oh combien Me Susane éprouvait de pitié pour lui !) ce qu'il pouvait lui répondre sans risque pour eux tous.

— Elle... elle est partie travailler, bredouilla-t-il, oui, je crois, oui.

Puis, d'un ton plus sûr :

— Entrez, madame, entrez.

Le premier objet que Me Susane remarqua dans l'appartement, ce fut son écharpe orange pendue à la patère du couloir.

Elle suivit le mari dc Sharon dans la cuisine minuscule qui faisait face à la patère, juste à droite de la porte d'entrée.

Elle refusa aussi aimablement que possible le café que lui offrait cet homme affable et effrayé.

Elle ne voulait ni l'astreindre ni l'offenser, ni l'apeurer ni lui coûter quoi que ce fût.

La cuisine était vétuste et propre, ancienne et, d'une certaine façon, irrécupérable du point de vue de l'hygiène contemporaine, cependant briquée avec tant d'acharnement et de passion, songeait Me Susane, qu'elle en paraissait presque fraîche, innocente.

— Sharon n'était pas chez moi tout à l'heure, je me suis inquiétée...

— Elle doit être chez les autres dames, dit le mari, elle s'est peut-être embrouillée avec les horaires, ça lui arrive.

— Oui, bien sûr, dit Me Susane soudain ravagée.

— Ce n'est pas facile, reprit le mari d'une voix navrée. Les autres, elles ne sont pas simples comme vous.

— Oui ? C'est-à-dire ?

Il la fixa soudain d'un regard sec, enfiévré, et son visage ambré se marbra de rouge comme il hésitait encore, comprit Me Susane, à lui parler librement.

C'est pourquoi elle comprit également qu'il s'adressât à elle, ensuite, avec une sorte d'agressivité puisqu'il s'abandonnait, préjugeait de la loyauté de Me Susane peut-être déraisonnablement.

Elle s'était assise sur une raide petite chaise de plastique.

Elle était encore plus stupéfaite qu'amère – trompée, maussadement indignée.

— Les autres, elles la sonnent et Sharon doit se précipiter, dit le mari avec colère. C'est normal, ça ? Sharon ne peut pas être partout à la fois, elle ne peut pas être dans le même temps ici et là, non ? Elle est fatiguée, fatiguée.

— Ces autres, elles sont combien ?

— Il y a deux dames, avec vous ça fait trois mais, précisa-t-il, vous, vous êtes toujours correcte, pas comme les autres.

— Pourquoi ? Qu'est-ce qu'elles font ? demanda Me Susane d'une voix placide, presque légère.

Son cœur saignait.

Elle n'avait rien su des autres dames et pas même imaginé que, au lieu de faire acte de présence chez elle où Me Susane la payait généreusement pour demeurer (puisqu'il y avait si peu à nettoyer !), Sharon allait subrepticement s'employer ailleurs.

N'était-ce pas mesquin ?

N'était-ce pas compréhensible cependant ?

Et Sharon n'avait-elle pas raison de duper Me Susane qui s'octroyait le droit de la garder dans son appartement en pensant que l'ennui, l'inactivité absurde étaient peu de chose auprès du bon salaire qu'elle lui versait et du travail qu'elle effectuait pour aider la famille de Sharon à rester légalement en France ?

Mais son cœur saignait.

Le mari de Sharon s'était laissé tomber à son tour sur une autre des vieilles chaises de jardin qui entouraient la table, il passait et repassait la main sur celle-ci avec dureté comme pour la récurer ou la punir de n'être ni assez belle ni assez propre.

M. et Mme Susane avaient une table du même type dans leur courette, songea distraitement Me Susane.

Oh comme elle avait mal, comme Sharon la blessait !

— Les autres, dit le mari avec rancœur, elles ne comptent pas toutes les heures dc Sharon, elles ne lui parlent pas bien non plus, elles ne sont jamais contentes alors que Sharon travaille mieux que n'importe qui, non ?

— Oui, murmura Me Susane, Sharon travaille à la perfection.

— Voilà, c'est bien ce que je dis.

Il avait haussé le ton, comme si Me Susane l'avait démenti.

Elle ne bougea pas, détourna le regard.

De l'autre côté de la rue, accoudé au garde-fou de sa fenêtre déglinguée, un homme les observait, cigarette aux lèvres.

Son œil sembla sévère à Me Susane.

Elle s'obligea alors, machinalement, à réconforter le mari de Sharon.

Elle avança la main vers son avant-bras, le pétrit prudemment.

Elle avait cru comprendre, ou elle avait interprété ainsi les quelques propos réservés que Sharon avait tenus sur son mari, qu'il était « entré en dépression » (selon la formule habituelle de M. et Mme Susane) peu de temps après leur arrivée en France.

Par peur d'être arrêté et qu'on lui demande de présenter un titre de séjour qu'il n'avait pas, il restait cloîtré, ne sortait furtivement que pour aller chercher les enfants à l'école lorsque Sharon ne pouvait le faire.

Il ne connaissait et ne fréquentait nul autre que sa femme et ses enfants, ce qui, avait laissé échapper Sharon dans un soupir découragé, suffirait, n'importe où, à déranger l'esprit de l'homme le plus pondéré.

— Moi aussi, s'était exclamée Sharon, je deviendrais folle à sa place !

Me Susane ne l'avait pas interrogée.

Les questions directes perturbaient Sharon, la rendaient muette, suspicieuse et ses paupières aux longs cils épais se mettaient alors à cligner douloureusement.

Me Susane lui aurait demandé : Il y a autant de danger pour vous, Sharon, à sortir, à travailler que pour votre mari. Et si vous êtes arrêtée, si vous êtes inquiétée, votre mari, qu'est-ce qu'il pourra faire ? Il sera renvoyé pareillement, qu'est-ce qui le protégera ? Pourquoi, dans ce cas, vous laisse-t-il l'entière responsabilité des tâches à accomplir pour vivre normalement, pourquoi êtes-vous seule à travailler, à faire les courses, à prendre le risque d'un contrôle de police, seule à vous démener enfin ?

Sharon lui aurait répondu, pensait Me Susane, de sa voix outragée, vertueuse : Mais il est triste, il est malade ! Sa maladie, c'est la tristesse, il n'y peut rien.

— Les autres dames, connaissez-vous leur nom ? demanda-t-elle doucement au mari de Sharon.

Elle pencha son visage vers le sien.

De sa manche il s'essuyait les joues, les lèvres d'un mouvement enfantin qui la touchait malgré elle.

— Connaissez-vous mon nom ? demanda-t-elle encore.

— Oui, bien sûr. Il eut un petit rire d'évidence. Vous êtes Mme Susane, les autres : Mme Pujol et Mme Principaux. Comment je ne connaîtrais pas le nom des femmes qui exploitent Sharon ? Je ne parle pas de vous, madame Susane. Mais les deux autres, elles l'exploitent et Sharon ne sait plus comment faire pour s'en dépêtrer. Mme Principaux, par exemple, vous savez ce qu'elle a fait un jour ? Elle a dit que Sharon n'avait pas complètement passé l'aspirateur sous le tapis, qu'elle avait juste rabattu les coins et que ce n'était pas acceptable, alors elle l'a privée de son salaire de la journée, pour la punir.

Me Susane pressait l'une contre l'autre ses mains frissonnantes.

Elle sentait que la peau de son visage avait pris une nuance grisâtre, comme chaque fois qu'elle était gravement ébranlée.

— Principaux ? murmura-t-elle. Où habite-t-elle, cette Principaux ? À Caudéran ? Au Bouscat ?

C'est au Bouscat, dans une belle villa, qu'avaient vécu Gilles, Marlyne Principaux et leurs enfants.

— Non, non, dit le mari de Sharon avec une sorte d'impatience, elle habite en ville, dans le quartier de la cathédrale. C'est une vieille dame, son mari est mort, elle vit là toute seule, elle est riche et elle trouve le moyen d'abuser de Sharon. Je ne supporte pas qu'on profite de Sharon, elle ne sait pas se défendre, elle dit toujours oui merci.

Alors c'est la raison pour laquelle Sharon me trompe, songea fébrilement Me Susane, elle me laisse penser qu'elle a passé l'après-midi chez moi alors qu'elle s'est rendue chez les autres parce qu'elle ne sait pas comment se libérer de ces deux « dames ».

Oui, c'est pour ça, elle est coincée, elle est coincée, pauvre Sharon, se répétait Me Susane dans un tel émoi de soulagement qu'elle en tremblait davantage encore.

— Je dois partir à présent, dit-elle en se levant avec précaution.

Le mari de Sharon la salua sans bouger de sa chaise.

Dans le couloir Me Susane fit glisser l'écharpe orange de la patère, l'enfouit dans son sac puis quitta l'appartement avec la discrétion d'une coupable.

Elle se rendit ensuite au cabinet sans repasser chez elle.
Elle préférait ne pas avoir à constater que Sharon n'y était peut-être pas, ne pas avoir à prendre Sharon, de nouveau, en flagrant délit d'absence – puisqu'elle savait, qu'est-ce que cela changerait ?
Et si Sharon était là, quelle différence encore ?
Puisque Sharon, quoi qu'il en fût, la bernait.
Mais ce n'était pas sa faute, c'était à cause de ces Pujol et Principaux qui s'étaient trouvé là une esclave parfaite !
Me Susane en tressaillait d'indignation.
Cette Principaux était-elle la mère de Gilles ?
Si c'était le cas, elle avait bien changé – cette femme merveilleuse, avenante, hospitalière dans sa belle maison de Caudéran, qui avait offert avec un naturel si gracieux, un plaisir si peu feint, un jus d'orange à la fille de la repasseuse !
Y avait-il, à Bordeaux, d'autres Principaux que cette famille ?
Me Susane l'espérait sombrement, sauvagement.

Au bureau elle s'occupa, pressée d'en finir, de répondre au rare courrier qu'elle recevait.

Me Susane, avocate récemment indépendante, travaillait seule.
Elle avait pris le parti de louer deux belles pièces sur la place de la cathédrale, dans l'idée qu'une bonne adresse et des locaux attrayants lui amèneraient une clientèle intéressante – mais, mon dieu, que c'était dur !
Quand on la payait, c'était avec beaucoup de retard, systématiquement.
Me Susane se plaisait à dire à ses amis, ceux qui la rece-

vaient à dîner et l'appréciaient pour son habileté à raconter, son humour plein d'ironie (tellement factice à ses yeux !), qu'elle aimait le combat mais détestait le conflit, aussi avait-elle la plus grande difficulté à réclamer son dû.

Comme c'était pénible !

Elle imprima tous les articles qu'elle put trouver au sujet de l'affaire Principaux, ceux qu'elle avait déjà lus au moment de l'arrestation de Marlyne, dont elle gardait un souvenir si précis qu'elle pouvait presque les réciter, et quelques autres issus de sites vaguement malpropres à ses yeux, qu'elle découvrait non sans gêne mais qui, au détour d'une phrase, lui semblaient avoir discerné une obscure vérité – la complaisance, l'empressement du mari à vouloir « libérer sa femme de ses démons » une fois les meurtres (ou les assassinats) accomplis.

Car Gilles Principaux ne paraissait pas tant anéanti par la mort de ses enfants que désireux d'absoudre Marlyne aux yeux du monde.

Et pourquoi pas ? songeait Me Susane.

Et que signifiait « anéanti », quelle conclusion probante tirer de l'œil sec de Gilles Principaux, de ses étranges sourires devant les caméras, de son plaisir manifeste à s'exprimer sur l'horreur de tout cela ?

Selon quels critères irrécusables, tant moraux que psychologiques, pouvait-on en conclure, parce qu'il souriait abondamment, que la mort de ses enfants ne l'affectait pas autant qu'elle l'aurait dû ?

Ces sites vengeurs et louches avaient mis le doigt sur quelque chose de juste, pensait Me Susane : Gilles Principaux avait une réaction non habituelle à l'événement qui était censé broyer son existence.

Il apparaissait curieusement gai, excité, content de lui, puis larmoyant lorsqu'il sentait qu'on lui demandait d'être ému, bouleversé, transformé, et ses larmes ou leur esquisse semblaient fausses car il jouait fort mal ce qu'il ne ressentait pas : être ému, bouleversé, transformé.

Mais ces bizarreries ne devaient conduire à nulle appréciation de la douleur de Gilles Principaux, pensait Me Susane.

Qui êtes-vous pour me dicter les formes de mon chagrin ? Vous êtes-vous introduit dans mon cœur pour savoir comment je souffre ?

Les articles de journaux respectables dont Me Susane se rappelait presque chaque mot décrivaient la même scène : deux policiers, un homme et une femme, pénétrant dans la maison de Gilles et Marlyne Principaux après que cette dernière eut demandé au téléphone une visite de toute urgence, bien que sa voix calme, froide, sans intonation particulière, eût semblé contredire une telle nécessité pour les agents d'arriver rapidement.

Ils avaient sonné, frappé à la porte puis, en l'absence de réponse, étaient entrés en abaissant simplement la poignée.

Ils avaient trouvé Marlyne assise toute droite sur le canapé du salon.

La maison était en ordre, presque excessivement, dirait l'un des deux (témoignant ainsi, estimait Me Susane, de sa propre relation avec le rangement plus que d'un comportement insolite chez Marlyne).

Marlyne les avait salués de sa voix tranquille, remerciés d'être venus.

Sans bouger, elle leur avait murmuré d'aller dans sa chambre, au bout du couloir.

Elle était douce et paisible, un peu pâle (dirait l'un

des deux, mais comment pouvait-il savoir quelle était sa carnation habituelle ?), et l'unique signe d'une probable nervosité se devinait dans la façon dont elle comprimait ses mains entre ses cuisses bien fermées.

L'un des deux dirait encore qu'elle avait le regard légèrement effaré.

Cependant les voisins, les amis diraient de Marlyne qu'elle avait toujours, malgré la pondération de ses mouvements, de ses propos, les yeux inquiets, extrêmement mobiles comme ceux des oiseaux à l'affût du danger – comme, dirait une voisine, le regard qu'on voit aux mésanges quand elles volent d'une branche au nid d'où les appellent les petits affamés.

Cette voisine porterait la main à sa bouche sitôt ces mots prononcés car les mésanges, elles, n'assassinent pas leurs petits, n'est-ce pas ?

Les deux policiers, l'homme d'âge mûr, ventru, massif, et la femme jeune et sportive, celle-ci précédant son collègue, étaient allés jusqu'à la chambre des Principaux, longeant le couloir dont toutes les portes étaient fermées.

La policière avait découvert les trois enfants couchés dans le lit des parents.

Me Susane ne saisissait pas, à la lecture de ces articles sérieux, si les enfants étaient allongés sur le lit et entièrement visibles de la policière ou si leur mère les avait glissés sous le drap, si seule leur tête dépassait.

Aucun des articles n'était précis à ce sujet.

Certains disaient « dans le lit », d'autres « sur le lit », comme si ce détail était sans importance.

La policière dirait qu'elle avait compris immédiatement que les enfants étaient morts.

Elle s'était cependant, bien sûr, précipitée vers le lit, avait tenté de les ranimer sous les yeux de son collègue qui avait déclaré être « extrêmement choqué, ayant trois petits-enfants d'âges comparables et, par coïncidence, comme dans le cas des Principaux, deux garçons et une fille encore bébé ».

L'aîné, Jason, tenait dans ses bras, ou plutôt (corrigea mentalement Me Susane) avait dans ses bras sa petite sœur, Julia, âgée de six mois.

Il avait six ans, son frère, John, quatre ans.

Les trois enfants étaient nus, peau sèche et cheveux mouillés, bien peignés.

La policière dirait avoir remarqué tout de suite qu'ils avaient été en bonne santé : leurs corps étaient beaux et nets, à la fois pleins et déliés – des enfants attentivement nourris et dont la chair ne montrait aucune trace de mauvais traitements.

La mise en scène de la tendresse avec laquelle l'aîné serrait la petite entre ses bras, la protégeait, avait bouleversé la policière puisque, avait-elle perçu aussitôt, la mort n'avait pas happé les enfants dans ce lit ni dans cette attitude, et Marlyne Principaux raconterait ensuite, avec une fausse modestie de mère qui se sait exemplaire, qu'elle avait en effet pris le soin et le temps de disposer ainsi les cadavres des enfants : Jason avait adoré et choyé le bébé Julia, ce n'était que justice, exactitude de les présenter dans les bras l'un de l'autre.

Quant à John, elle l'avait déposé sur le flanc, son joli visage tourné vers celui de son grand frère qu'il avait aimé jusqu'à la vénération.

— J'ai essayé de ne pas me tromper, murmurerait Marlyne en souriant humblement, de ne pas les trahir dans leurs sentiments, je les connaissais si bien, personne ne les connaissait mieux que moi.

Les deux policiers, très secoués, avaient appelé du renfort.

Marlyne Principaux, tranquille bien que légèrement hésitante dans sa démarche (comme si elle avait bu mais ce n'était pas le cas), avait montré la baignoire encore remplie, expliqué avec une bonne volonté d'élève docile comment elle avait noyé d'abord le bébé Julia, puis John, enfin Jason qui s'était débattu si fortement qu'elle avait dû monter dans la baignoire, lui coincer les jambes avec ses genoux, enfin lutter avec lui dans une escalade de violence qu'elle avait haïe.

— Je ne m'en étais pas doutée, je voulais tellement ne pas lui faire de mal, ne faire de mal à personne, surtout pas à mon enfant chéri ! dirait une Marlyne dévastée au souvenir de la scène.

Il semblerait évident à tous ceux qui l'entendaient qu'elle s'était évertuée à ne pas faire souffrir au-delà de la nécessité (comme elle savait bien qu'il s'agissait pour eux de mourir) ces trois enfants qu'elle affirmait aimer plus que tout.

Elle dirait s'être renseignée sur Internet : le moyen le plus sûr de les supprimer (« les envoyer au ciel », disait-elle) sans abîmer leur corps consistait en la noyade.

Elle était bien consciente que les deux garçons avaient dû ressentir très clairement épouvante et désespoir, horreur et désarroi lorsqu'elle avait pressé de ses deux mains leur visage encore émergé pour le maintenir au fond de la baignoire.

Elle avait alors, dirait-elle, fermé les yeux.

Me Susane n'y croyait pas.

Elle relisait les articles et se sentait gagnée par une fureur qui l'avait épargnée à l'époque.

Elle ne croyait pas que Marlyne Principaux avait fermé les yeux durant ces longues minutes où elle s'acharnait méthodiquement à noyer les enfants.

Pour Jason et John, la tâche n'avait pas été facile.

Il s'agissait de garçons robustes, nerveux, pourquoi auraient-ils acquiescé à leur propre assassinat ?

Marlyne ne pouvait qu'avoir œuvré dans l'effort, la brutalité, les ahanements et les projections d'eau, les suppliques et la révolte, elle ne pouvait avoir gardé les yeux clos (comme une sainte au martyre) tout au long de l'acte.

De quelle nature était cet acte ?

Seule la haine, se dit Me Susane, peut faire supporter une telle atrocité à l'auteur de celle-ci.

Car Marlyne, il fallait bien s'en rendre compte, avait torturé ses trois enfants, n'est-ce pas ?

Me Susane se sentait extrêmement remuée.

De l'avis de tous ses proches, et même de ceux qui la maudiraient, ne voudraient plus rien avoir à faire avec elle (sa mère, ses sœurs), Marlyne avait chéri ses fils, tout particulièrement peut-être (mais quelle signification donner à cette éventuelle prédilection ?) l'aîné, Jason, dont elle avait semblé fière à l'excès (peut-être).

Cependant, s'empresseraient d'ajouter ces mêmes proches, elle témoignait aussi d'un amour zélé envers John et Julia, s'inquiétait de leur santé, elle allaitait encore la petite à l'époque des meurtres (ou des assassinats) et lui avait d'ailleurs donné le sein quelques minutes avant de la tuer.

Que voulait dire tout cela ? se demandait Me Susane.

Marlyne Principaux avait noyé ses enfants en fin d'après-midi, peu de temps après avoir ramené les garçons de l'école, les avoir fait goûter dans la cuisine comme chaque jour et, presque comme chaque jour dans la vie de cette mère admirable, leur avoir servi une part du gâteau, un quatre-quarts à l'orange, qu'elle avait confectionné pour eux.

Elle dirait qu'elle ne se permettait jamais de nourrir ses enfants de produits qu'elle n'avait pas elle-même transformés, raison pour laquelle Jason et John ne déjeunaient pas à la cantine.

Chaque jour, à midi moins vingt, Marlyne installait Julia dans le landau puis elle marchait jusqu'à l'école, revenait à la maison avec les garçons qu'elle reconduisait à l'école pour treize heures trente, toujours avec Julia qu'elle prenait soin d'allaiter juste avant (afin qu'elle se tienne tranquille durant le trajet, expliquerait-elle).

Elle leur préparait quotidiennement un déjeuner rigoureusement équilibré, calculant non seulement le nombre de calories que devait comporter le repas d'enfants de quatre et six ans mais mesurant également protéines, glucides, lipides afin de les alimenter sans erreur.

Ses propres repas, elle les pesait de la même façon pour favoriser la croissance de Julia, puisqu'elle comptait bien allaiter sa fille deux années durant ainsi qu'elle l'avait fait avec les garçons.

À son grand désespoir (quoique jamais révélé à quiconque, pas même à son mari à qui elle confiait tout) Marlyne Principaux prenait régulièrement du poids malgré l'excellence de son régime.

Et à l'époque des meurtres (ou des assassinats) elle avait dû affronter ce dilemme : tenter activement de maigrir et risquer de faire boire à Julia un lait moins adapté au développement harmonieux de la petite fille ou s'en tenir au procédé le plus conforme à l'épanouissement du bébé mais au détriment, pensait-elle, de sa propre silhouette.

Elle avait eu tellement honte de se tracasser pour quelque chose d'aussi futile !

D'autant plus que ni son mari ni ses proches ne semblaient remarquer qu'elle grossissait.

Marlyne, elle, le savait.

Elle le savait lorsqu'elle s'habillait, lorsqu'elle frottait son corps sous la douche, de sorte qu'elle s'était résolue à ne plus endosser ses vêtements habituels.

Elle avait acheté chez Emmaüs quelques tee-shirts et pull-overs d'homme et deux vastes pantalons à taille élastiquée grâce auxquels elle avait une moindre conscience du galbe de son corps et des limites, qui s'écartaient continûment, de sa personne.

Se sentait-elle bien dans ces vêtements ?

Pas exactement mais au moins elle ne se sentait pas, ce qu'elle avait désiré pour échapper à l'affolement de savoir qu'elle croissait en largeur et ne pouvait rien contre ce phénomène.

Car il était impensable de cesser d'allaiter Julia.

Oh mon dieu !

Marlyne aurait presque ri, peut-être.

Compromettre la santé du bébé pour une affaire aussi dérisoire !

Comment l'envisager ?

Elle pouvait tout aussi bien se mettre à boire, se droguer, négliger et battre ses enfants !

Quand on commence à ne pas se soucier d'eux mais de soi, où cela s'arrête-t-il ?

Me Susane n'avait lu dans la presse que le déroulement probable des faits, la découverte de ceux-ci par la police, le compte-rendu des premiers mots de Marlyne.

Tout le reste, elle l'inventait, le supposait mais,

constaterait-elle plus tard, avec quelle déroutante clairvoyance !

Et malgré son antipathie profonde, voire sa répulsion à l'égard de Marlyne Principaux !

Après avoir vainement tenté de ranimer les enfants, les deux policiers avaient rejoint Marlyne au salon où elle se tenait dans la même position, droite et douce, mains jointes et sourire poli, figé, navré.

Elle était vêtue d'un maillot ample à l'insigne de la Sorbonne et d'un pantalon de sport grisâtre qui bouchonnait sur ses tennis.

La policière remarquerait deux taches humides sur le coton du maillot, au niveau de la poitrine, et, surprenant son regard, Marlyne dirait sur un ton d'excuse que son lait s'épanchait.

On était en novembre, il faisait gris et doux, la maison était bien chauffée, trop bien peut-être.

Les policiers s'étaient vite retrouvés en sueur mais (se demanderait Me Susane) était-ce à cause de la température excessive ou de leur émotion, qui pouvait le dire avec certitude ?

Soudain Gilles Principaux était arrivé, pressé, inquiet.

— Ça va mon amour ? avait-il crié en direction de Marlyne (un personnage de sitcom, penserait Me Susane, qui débarque innocemment sur la scène d'un drame et prononce des phrases qui sonnent faux bien que ce soit sa manière habituelle de parler).

Marlyne lui avait souri sans écarter les lèvres.

Elle avait baissé les paupières et remué vaguement la main comme pour le rassurer.

On apprendrait qu'elle avait appelé son mari une heure

avant de téléphoner à la police, en lui demandant de bien vouloir rentrer à la maison car elle avait un problème.

Gilles Principaux aurait dû arriver avant les deux policiers mais, bien qu'il n'eût pas de cours à ce moment-là, il avait dû régler diverses questions administratives qui avaient repoussé l'instant où il s'était mis en route pour Le Bouscat, plutôt contrarié (avouerait-il) de devoir sauter dans sa voiture et regagner son foyer bien avant l'heure habituelle.

C'est en voyant le véhicule de police garé devant la maison qu'il avait pris peur.

— Ça va mon amour ? avait-il crié, ne devinant rien encore (assurerait-il, comment un époux pouvait-il se représenter une telle abomination, une telle trahison de l'harmonie et de la franchise qui régnaient, diraient-ils tous les deux, dans leur couple ?).

Et Marlyne lui avait souri, quoique avec une réticence, une difficulté qu'il avait notées.

Cependant elle avait eu ce petit geste apaisant qu'il connaissait bien : elle frappait l'air d'une main molle, confiante, légèrement ironique, qui signifiait « rien de grave, mon amour, je maîtrise la situation ».

C'était, entre eux, un code complice : lorsque Gilles débarquait inopinément au cœur d'une situation confuse, les rares fois où les soins aux enfants avaient semé du désordre dans la maison ou que les garçons, inexplicablement agités, voulaient se battre et paraissaient soudain se détester (comme Marlyne avait mal alors !), elle adressait à Gilles ce petit signe.

Et miraculeusement les choses rentraient dans l'ordre.

Jason et John cessaient de s'affronter sans raison, Julia acceptait la tétée qu'elle avait auparavant repoussée de manière blessante, le salon se retrouvait subitement rangé sans que Marlyne ni Gilles (manifestement) s'y fussent employés.

Était-ce un effet surnaturel de la pensée, de la volonté ?

Marlyne n'était pas loin d'y croire.

Gilles, plus pragmatique, dirait qu'il n'avait jamais trouvé la maison en désordre.

Marlyne était maniaque, il s'y était fait.

Elle voyait rapidement, dans une pièce pleine de vie, une angoissante pagaille et les disputes des garçons la démoralisaient comme le témoignage de son échec à les élever.

Elle était très maniaque, dirait Gilles de façon plutôt candide et sans vouloir critiquer Marlyne.

Marlyne, elle, affirmerait que Gilles ne supportait pas « le bazar » et que c'était pour lui, pour sa sérénité et pour éviter tout ressentiment de sa part, tout reproche larvé, qu'elle veillait anxieusement à ce que la maison mais aussi l'existence en général fussent parfaitement en ordre.

Elle exprimerait, de sa voix monocorde, de la rancœur envers lui, parfois même une sorte de haine détachée, méprisante, une étrange haine sans passion.

Lui, jamais.

Il la défendrait contre toute raison, sans détachement, avec passion.

Se dessinaient ainsi, dans l'imagination de Me Susane, dans ses conjectures, dans ses rêveries, les portraits d'un Gilles Principaux persuadé de sa propre décontraction quant à l'organisation de la vie de famille et d'une Marlyne non moins certaine de devoir assurer à son mari la tranquillité qu'il exigeait tacitement.

Marlyne dirait :

— Chaque jour je pensais au moment où il rentrerait et j'avais peur. Je ne voulais pas qu'il se sente contrarié, énervé parce que les choses n'étaient pas bien en place. Il était gentil, oui, jamais il n'avait une parole méchante. Mais je pouvais sentir sa déception, son mécontentement quand je n'avais pas bien fait, on sent ces choses dans les couples, on ne dit rien mais on sent tout, on comprend tout.

Il apparaîtrait que Marlyne, après que ses enfants étaient nés et qu'elle avait cessé de travailler (suivant la suggestion de Gilles, affirmerait-elle), s'était enfermée dans l'idée que, n'exerçant plus son métier de professeure de français au collège, elle devait montrer à son mari, à sa mère (fâchée que sa fille cessât de travailler, renonçât à être brillante et indépendante) et à ses sœurs qu'elle exerçait, comme mère de famille, un métier aussi louable, difficile, digne de respect que celui de professeure.

Elle avait voulu être une mère de famille de haut niveau, comme une athlète, se dirait Me Susane.

Marlyne et ses deux sœurs avaient été élevées par leur seule mère et tout ce qui concernait leur père était nébuleux – était-il parti, l'avait-on mis dehors, la mère ne se prononçait pas à ce propos.

La mère de Marlyne se contentait d'affirmer à bon droit qu'elle avait réussi l'éducation de ses filles malgré les difficultés inhérentes à sa situation de femme célibataire aux revenus modiques.

Elle s'employait dans les vignes comme ouvrière agricole et si Marlyne, objet de sa plus grande fierté avant le mariage avec Principaux, était devenue professeure, les deux autres n'avaient pas trompé ses attentes en travaillant, la cadette comme maître de chai et la benjamine dans une boutique de vêtements dont elle avait la gérance.

Oui, penserait Me Susane admirative, cette femme simple et vaillante avait haussé ses trois filles sur l'échelle sociale, surveillant comme elle l'avait pu leur scolarité, prenant des rendez-vous avec les professeurs (exagérément diraient certains – ou est-ce que Me Susane inventait ce détail ? Elle ne saurait plus vraiment), ne leur accordant que des fréquentations dignes de ses propres ambitions et sacrifices, et peut-être excessivement sévère parfois mais comment ne pas l'être lorsque, habitant un logement modeste dans les faubourgs de Langon, vous savez que vos filles adolescentes rêvent d'avoir la permission de traîner dans le gigantesque centre commercial après les cours, puisque le lycée jouxte la zone industrielle, et que des connaissances bien informées vous ont appris que c'était là, sur des terrains encore vagues entre l'Intermarché et le Lidl, que les jeunes buvaient, fumaient, se piquaient, enfin traversaient cette brève période de leur vie de telle manière que celle-ci en resterait amoindrie, sinistrement gâchée, et qu'on dirait à leur propos : Quel dommage !

La mère de Marlyne s'était battue pour que personne ne pût dire au sujet de ses trois filles intelligentes et douées : Quel dommage !

Alors avait-elle été dure, démesurément inflexible ?

Un article l'insinuait.

La mère de Marlyne et les deux sœurs refuseraient de la revoir après les meurtres (ou les assassinats).

Elles n'avaient d'ailleurs rendu que de rares visites à Marlyne quand celle-ci avait eu ses enfants, comme si Marlyne avait démérité inexorablement en choisissant ce mode de vie, et les sœurs, d'ailleurs, n'en avaient pas, elles, d'enfants, sans que Me Susane pût affirmer cependant que ce fait procédait de leur décision.

Ni la mère ni les sœurs n'avaient semblé, en tout cas, profondément, douloureusement atteintes par la disparition de Jason, de John et de Julia qu'elles avaient finalement peu connus.

Mais la déchéance grotesque de Marlyne les avait blessées à jamais.

Me Susane avait même l'impression que l'horreur du geste de Marlyne, elles pouvaient toutes trois, mère et sœurs, l'endurer, qu'elles pouvaient se figurer la scène sans se sentir pénétrées par cette horreur.

Ce qu'elles ne pouvaient pardonner à Marlyne, pensait Me Susane, c'était de s'être enfuie si loin d'elles moralement en épousant Principaux, en abandonnant sa carrière pour élever les enfants de Principaux, en somme de s'être pliée à toutes les injonctions plus ou moins énoncées de ce Principaux qui avait été assez malin, de ce point de vue (se disaient les sœurs et la mère selon Me Susane) pour se marier avec une femme d'un milieu bien inférieur au sien.

— Elle n'osait pas le contredire, dirait l'une des sœurs.

Et l'autre :

— Il lui en imposait, il venait de la bourgeoisie, il était plutôt autoritaire d'ailleurs sous ses airs cool.

Et la mère :

— Il s'est ingénié à la convaincre qu'elle ne valait pas grand-chose, il a brisé toute sa confiance en elle. Je ne la reconnaissais pas quand j'allais la voir, alors je me suis éloignée, ça me mettait en rogne. Elle avait adoré son métier, enseigner le français au collège, et la voilà qui me débitait qu'il n'y avait pas de plus belle mission que celle d'être maman, qu'elle voulait tout faire pour protéger ses enfants des dangers du monde, bla-bla-bla, et que pour assurer cette mission merveilleuse une maman se devait de l'être à plein temps, bla-bla-bla. J'étais furieuse contre elle, j'ai préféré garder mes distances, tout ça pour ça je me disais, quel gâchis. Et je savais bien que Principaux était responsable de ce changement du tout au tout, je savais bien que la Marlyne que j'avais éduquée à être libre et qui avait profité avec bonheur de cette liberté jusqu'à ses vingt-six ans, l'âge auquel Principaux l'a prise dans ses filets, eh bien elle n'aurait jamais adopté volontairement une telle façon de vivre, je le savais mais impossible de le faire entendre à Marlyne puisque Principaux l'avait sous sa coupe, elle avait toujours un éloge mécanique à son sujet, Gilles était merveilleux, bla-bla-bla, Gilles était si intelligent, bla-bla-bla, Gilles avait tant d'attentions délicates pour elle, bla-bla-bla. Elle disait tout ça en se forçant, elle était triste et désemparée, elle ne voulait pas se l'avouer, elle était fière. Alors j'ai pris mes distances et ses sœurs pareillement. Dans ces cas-là on ne peut rien faire. Elle aurait fini par nous prendre en aversion, par nous jeter dehors. Principaux nous détestait. Il devait glisser dans son oreille des vacheries à notre propos. Je suis mécontente et je suis terriblement affligée pour Marlyne qui ne sera plus jamais libre, qui n'enseignera plus jamais le français au collège comme elle a tant aimé le faire. Bien sûr, c'est désolant pour ces pauvres gosses qui n'avaient rien fait à personne. Je ne suis pas encore prête à rendre visite à Marlyne, je suis encore trop furieuse contre elle. Ces pauvres gamins, oui, bien sûr. Mais j'en veux à Marlyne qui a préféré s'éloigner de nous, sa mère et ses sœurs, pour embrasser l'esprit Principaux, pour entrer dans cette merveilleuse famille Principaux dont le fils, Gilles, l'a tout simplement asservie. Oui, elle était docile, consentante mais elle ne se rendait pas compte. Si j'aurais dû rester proche d'elle ? Ce n'était pas possible, comme je le disais elle aurait fini par trouver un prétexte pour qu'on se brouille à mort.

Alors Gilles Principaux était arrivé, impatient, nerveux, sensible.

Il avait quitté de mauvaise grâce la faculté de Talence où il enseignait la géographie, cependant l'irritation s'était mêlée d'un soudain affolement (la voiture de police garée devant chez lui) et il s'était élancé vers Marlyne, croyant, dirait-il de manière très convaincante, que sa femme était blessée ou malade.

Jamais, dirait-il, il n'avait eu peur pour les enfants.

Car il aimait sa femme plus que quiconque, oui, plus encore que les enfants pour lesquels il éprouvait, certes, une immense tendresse.

Mais la personne qui suscitait ses plus pénibles inquiétudes et ses plus grands élans d'amour, c'était Marlyne.

Il lui semblait que les enfants se débrouilleraient toujours, avec leur vitalité vorace de petits animaux, et tous les trois jouissaient de surcroît d'une santé, d'une plénitude physique, d'une perfection corporelle qui ne l'avaient pas habitué à trembler pour eux.

Non, jamais il n'avait eu de morbide pressentiment à leur sujet.

Il se serait presque senti parfois submergé par leur gloutonnerie d'existence, leur volonté impérieuse d'être là, dans sa vie à lui, et que leurs petits corps drus, autoritaires, ne se soucient nullement du sien, de ses faiblesses et de ses fatigues mais uniquement de croître aussi confortablement que possible à l'abri du corps bien sûr de leur père dont ils tiraient candidement, sauvagement la substance nécessaire à leur vie brutale.

Ses jeunes enfants avaient épuisé Gilles Principaux.

Il en désirait d'autres encore pourtant, de nombreux, cinq ou six peut-être en tout.

Mais il ne craignait rien pour eux.

Jamais il ne faisait de ces rêves cruels où l'on voit ses enfants en danger.

En revanche il redoutait ce cauchemar fréquent dans lequel Marlyne agonisait loin de lui, il le savait mais ne pouvait accourir auprès d'elle et Marlyne mourait sans avoir été, une dernière fois, assurée de son amour.

Gilles Principaux s'exprimait ainsi, comprenait Me Susane, à coups de belles phrases sincères, de déclarations étranges, parfois gênantes, qui avaient néanmoins le mérite de la franchise quand le visage même de Principaux, souriant, exagérément ouvert, produisait un effet de fausseté non moins gênant.

— Pourquoi vouliez-vous agrandir la famille, lui demanderait-on, alors que vous aviez déjà du mal à vous occuper de trois enfants ? Alors que, selon vos propres dires, il vous semblait déjà bien difficile de répartir votre affection ? De la donner également à tout ce petit monde ?

— J'en voulais d'autres parce que je sentais profondément que c'était là ce que souhaitait Marlyne, répondrait Principaux.

À la même question Marlyne reconnaîtrait qu'elle avait ardemment désiré leur premier enfant, Jason, mais qu'elle aurait préféré qu'il restât seul.

Elle n'avait pas osé l'avouer à Gilles ni clairement à elle-même puisque le pacte implicite qui fondait leur union, l'intérêt pour eux, si différents, de vivre ensemble, s'était scellé sur l'ambition de procréer en nombre et avec joie, sans que rien de religieux n'entrât là-dedans, au contraire :

ils étaient athées, venaient de familles sans dieu et considéraient qu'ils avaient bien le droit de donner dans une allégresse toute laïque de beaux enfants à la France (ainsi qu'ils aimaient à dire avec humour).

Alors Gilles Principaux était arrivé et l'effroi se lisait sur son visage, dirait la policière.

La présence de Marlyne l'avait très brièvement rassuré : elle était là, assise sur le canapé, pareille à elle-même, ni malade ni blessée ni désespérée, un peu raide et lointaine peut-être mais Gilles Principaux n'avait pas coutume, quand il rentrait de la fac, d'observer Marlyne d'un œil si aigu qu'il aurait su distinguer un soir du précédent, une attitude de celle de la veille.

Marlyne était ainsi généralement, réservée, peu causante.

Certains la disaient morne et anxieuse à la fois, de ceux, fort peu nombreux, qui la rencontraient de temps en temps sans pouvoir cependant se prétendre liés d'amitié avec cette femme solitaire : parents d'élèves, anciens camarades de lycée qu'elle croisait dans la rue parfois.

Marlyne et Gilles constateraient à haute voix, tous deux ingénument d'accord sur ce point et comme s'ils ne l'avaient jamais remarqué auparavant, que Marlyne n'avait pas d'amis.

Elle avait pour espèce d'amis ceux de Gilles que ce dernier conviait à la maison pour dîner ou prendre un café, rarement du reste car Gilles, quand il ne travaillait pas, aimait « être tranquille ».

Ces amis de Gilles, les seuls que Marlyne citerait comme étant vaguement les siens également, se comptaient sur les doigts d'une main.

Marlyne, d'ailleurs, aurait du mal à se rappeler leurs prénoms.

Elle confondrait même leur sexe, se souvenant d'une certaine Frédérique collègue de Gilles comme d'un homme, n'ayant de fait aucune mémoire des deux ou trois visites de cette Frédérique et mentant comme une enfant lorsqu'on citerait ce prénom :

— Oui, Frédéric, il était gentil je crois, je l'aimais bien.

Et ces gens (des amis ?) que Gilles Principaux semblait amener chez eux avec réticence diraient de Marlyne qu'ils n'avaient guère prêté attention à elle, ils devaient bien l'avouer.

Elle était si effacée !

Aimable et terne, très formellement accueillante, avec ce regard versatile, tourmenté qui poussait à détourner les yeux des siens.

Elle embarrassait, on ne savait trop que lui dire et les questions qu'on lui posait par politesse n'offraient pas de rebond : elle répondait scrupuleusement, sans retourner la question, indifférente ou mal à l'aise.

Sa mère, ses sœurs diraient qu'elle avait été une jeune femme enjouée et diserte avant de rencontrer Principaux.

Deux personnes qui estimeraient l'avoir bien connue du temps de ses études de lettres à Bordeaux abonderaient dans ce sens : Marlyne avait été gaie, normalement bavarde et ses vêtements colorés, son maquillage soigné, la conscience qu'elle avait de la splendeur de sa chevelure blond foncé n'avaient pas fait d'elle une fille effacée, au contraire : elle aimait plaire, être admirée, elle était rieuse et franche, loyale, jolie et « bien dans sa peau ».

Ces deux témoins (homme, femme, Me Susane ne parvenait pas à le préciser) avoueraient qu'ils avaient mis du temps avant de comprendre que la Marlyne de leurs années d'études et celle de l'atroce fait divers étaient la même personne.

Les anciens collègues de Marlyne tiendraient des propos équivalents.

Elle n'avait travaillé que dix-huit mois dans ce collège de Pauillac mais ils avaient eu d'assez nombreuses occasions de bavarder avec elle et d'entendre ce que disaient les élèves à son sujet pour établir qu'elle était une personne sympathique et une enseignante épatante, aussi n'avaient-ils pas réussi, eux non plus, à établir le lien entre leur ancienne collègue et la monstrueuse héroïne du fait divers avant que certains détails ne les obligent à comprendre.

Marlyne Principaux avait quitté le collège de Pauillac à l'époque de sa première grossesse.

Elle n'y était pas revenue.

Par un courriel enjoué, d'un enthousiasme comique/ironique peut-être forcé quand on la connaissait (mais la connaissait-on ? se demandait Me Susane, visage crispé, cœur fou), Marlyne avait informé trois ou quatre professeurs de la naissance de Jason, de son propre désir de se « consacrer tout entière aux premiers pas dans la vie de ce merveilleux petit garçon », puis elle avait coupé court.

Ils avaient souhaité faire un cadeau, aller la voir, fêter d'une manière ou d'une autre l'événement.

Elle n'y avait pas consenti.

Elle avait éludé, ajourné, enfin cessé de répondre.

Ils en avaient conclu, non sans déception, qu'elle souhaitait « être tranquille ».

Ils l'avaient oubliée, non sans déception.

Tous (quoiqu'ils ne fussent guère nombreux en vérité) s'étaient froissés de ce retrait.

— De toute évidence elle ne voulait plus rien avoir à faire avec nous, dirait une professeure d'anglais. Nous n'avons pas compris pour quelle raison puisque nous avions d'excellentes relations avec Marlyne.

Ils concluraient, plus tard, à la responsabilité de Gilles Principaux dans cet éloignement.

N'était-ce pas injuste ?

Car Principaux aurait une tout autre version des faits.

Il soutiendrait avoir poussé Marlyne à recevoir ses collègues, à leur présenter le bébé, il dirait même s'être senti désemparé et presque humilié, en tant que père de ce bébé, que sa femme refusât obstinément (quoique sans le dire, inerte et butée, silencieuse mais impossible à mouvoir) de montrer fièrement ce qui était tout de même bien le fruit merveilleux de leur union non moins admirable.

Du côté de Marlyne, seules sa mère et ses sœurs viendraient voir Jason, peu souvent quand elles eurent compris que Marlyne ne comptait pas retourner travailler et qu'elles se mirent à éprouver à son encontre, toutes trois pareillement, une colère qui ne leur permettait plus de la fréquenter « comme si de rien n'était ».

Marlyne confirmerait les propos de Principaux : il l'avait exhortée à recevoir ses collègues en effet, il avait parlé d'un dîner ou d'un apéritif au cours duquel il rencontrerait enfin ces quatre ou cinq professeurs du collège de Pauillac que Marlyne avait côtoyés et appréciés, Marlyne le confirmerait, Principaux lui en avait parlé à plusieurs reprises.

Elle n'avait rien dit, rien fait, invité personne et Principaux avait capitulé, avait oublié.

— Je me sentais trop lasse, trop fatiguée pour prendre en charge une réception amicale, c'est moi qui aurais tout fait, Gilles avait trop de travail, dirait Marlyne.

Et puis :

— Je pensais qu'au fond il préférait que ça ne se passe pas, je sentais qu'il n'avait que mépris pour mes collègues, qu'il s'ennuyait affreusement à la simple perspective de prendre un verre avec eux, il aurait fait bonne figure et personne ne se serait rendu compte de rien (ce dédain, cet ennui) mais il me semblait plus simple de ne pas nous infliger à tous un petit théâtre d'hypocrisie et de méchanceté camouflée (chez Gilles), il est plus facile de ne rien faire que de s'efforcer de préparer quelque chose qui risque d'être gênant ou décevant ou contrariant, voilà pourquoi je n'ai rien fait, rien dit, rien répondu, oh c'est de ma faute puisque Gilles m'encourageait au contraire à organiser ce qui le rebutait profondément, il prenait sur lui, il croyait me faire plaisir. Mais je le connaissais si bien, il ne savait pas à quel point ! Jamais je n'aurais infligé à mes collègues de Pauillac l'épreuve de passer sous les fourches Caudines du jugement sarcastique et muet de Gilles, oh c'est de ma faute, Gilles n'y est pour rien, il est ce qu'il est, voilà tout, et je l'ai aimé ainsi, tel qu'il est, que puis-je lui reprocher ? Sinon de m'avoir amenée à le craindre et à l'exécrer, cependant ne suis-je pas responsable de mon erreur, celle de l'avoir aimé, suivi, d'avoir abdiqué mon jugement au profit du sien, d'avoir pensé que la moindre de mes idées, opinions, inclinations risquait la « clause de nullité » (elle riait en disant cela, non ?) si Gilles ne la ratifiait pas ?

C'est de ma faute, dirait Marlyne, car Gilles se montrait le plus souvent agréable envers moi, il tâchait de m'aider avec les enfants malgré sa propre fatigue ou tout au moins me demandait-il si je voulais qu'il m'aide, à quoi je répondais généralement non mais cela me faisait plaisir et il le savait et n'était pas avare de telles propositions.

Au fond, dirait Marlyne, je n'ai aucun grief contre Gilles. J'en suis venue à me crisper quand je l'entendais rentrer le soir, à redouter ses critiques doucereuses et ses positions très fermes quant à l'éducation de nos enfants et notre mode de vie, la morale qu'il entendait que nous embrassions, mais je ne l'incrimine pas. Je parlais peu. Je ne m'exprimais pas clairement. Comment aurait-il pu deviner que je ne supportais plus les enfants, que je priais pour que Gilles meure avec eux dans un accident et que je me retrouve libre et triste, libre et affligée et délivrée enfin de son œil omniscient, du regard de Gilles qui sondait et blâmait quand bien même ses lèvres s'étiraient en un sempiternel sourire ?

Je ne blâme pas Gilles Principaux, conclurait Marlyne. J'aimerais ne jamais le revoir, je n'éprouve pour lui ni compassion ni tendresse mais je ne le blâme pas. Il n'a jamais rien fait qu'on puisse définir comme infâme. Il aspirait sincèrement à être une excellente personne, bon père, bon mari, Gilles Principaux n'est pas un pervers et si je suis arrivée à l'abhorrer, à rêver de sa mort (ou de son effacement, de son absence soudaine et définitive dans ma propre existence), j'en accuse ma faiblesse, pas les siennes.

Je vous en conjure, dirait Marlyne (mains jointes, paupières tremblantes), ne soyez pas tentés d'associer Gilles Principaux à ma culpabilité, de me dédouaner en partie pour accabler ce malheureux qui, victime d'un sort épouvantable, se devrait en plus d'expliquer (et forcément maladroitement) pourquoi il ne pense pas avoir eu quelque rôle malfaisant dans l'horreur qui le frappe.

Non, ni Gilles ni Marlyne ne s'accuseraient l'un l'autre, ce qui, à ce point, paraîtrait suspect, surtout de la part de Gilles.

Pourquoi semblait-il ne pas en vouloir à sa femme criminelle ?

Vouloir la défendre contre, moralement, l'intérêt de leurs enfants assassinés (ou tués, trois innocents) ?

Il semblerait presque sur le point de charger les enfants pour soutenir sa femme, évoquant, quoique de manière vague, elliptique, le caractère difficile de Jason, les colères inexplicables de John, même (une seule et unique fois cependant) l'« égocentrisme » de Julia, le bébé.

Pas plus que Marlyne envers lui Gilles Principaux n'avait de critiques à lui adresser.

Il ne pouvait désavouer sa femme que pour le meurtre (ou l'assassinat) de leurs enfants.

Pour le reste il l'aimait et l'estimait, dirait-il.

Il n'avait jamais eu de problèmes graves avec Marlyne.

Et, puisque la question ne pourrait être esquivée ou empêchée, tous deux répondraient d'une même voix : ils avaient eu une vie sexuelle fantastique (pour elle), formidable (pour lui).

Ils s'étaient toujours parfaitement entendus sur ce plan-là, ils étaient à la fois joueurs et bienséants et toujours, diraient-ils, « à l'écoute des désirs de l'autre ».

Gilles n'avait jamais contraint Marlyne, Marlyne n'avait jamais obligé Gilles à quoi que ce fût bien que, selon ses mots, elle l'eût haï à la fin, qu'elle eût souhaité le voir mourir avec leurs enfants sans faute de sa propre part, souhaité être libre et innocente – alors qu'elle avait fait le choix de se retrouver libre et atrocement coupable.

Principaux paraîtrait excessivement loyal envers Marlyne, de sorte qu'on l'accuserait de duplicité et d'avoir armé le bras de Marlyne à ses propres fins.

Me Susane ne le pensait nullement.

Il se trouvait simplement, pensait-elle, que la douleur de Principaux avait une forme inhabituelle.

Ses propres douleurs n'avaient-elles pas des formes indiscernables, susceptibles de tromper ceux qui croyaient le mieux la connaître ?

L'attitude de Principaux choquerait les deux policiers que la vision des enfants morts avait offensés à jamais.

Car il avait refusé qu'on le protégeât de cette vision, il avait insisté (se serait presque battu) pour aller voir les petits couchés dans la chambre.

Puis il avait eu un malaise mais ce n'était pas certain.

La policière dirait qu'elle l'avait vu tituber, s'accrocher au chambranle.

Son collègue assurerait qu'il était resté ferme sur ses jambes et Principaux lui-même ne se souviendrait de rien, laissant entendre que le malaise justement avait provoqué cette amnésie.

Mais seule la policière affirmerait que Principaux avait chancelé en découvrant les enfants morts, sur ou dans son propre lit de père de famille qui avait conçu ici même, au cours d'une vie érotique saine et merveilleuse, ces trois petits corps parfaits.

Son collègue la contredirait sur ce point et son témoignage, quoique neutre, serait interprété comme une nouvelle preuve de l'étrange froideur de Principaux, si bien, remarquait Me Susane, que celle qui avait agi, celle qui avait « posé » (disaient certains) le geste meurtrier ou assassin apparaîtrait moins condamnable que le père aux réactions surprenantes.

Pour quelle raison cet homme s'était comporté ainsi l'emportait dans certains articles, au point de vue de la fascination, sur les motifs de la coupable.

Après que Principaux, vacillant ou non, normalement anéanti ou pas tout à fait assez (visage ravagé, dirait la policière, plutôt calme, dirait son collègue, ne pouvait-on, songerait Me Susane, présenter une figure à la fois calme et ravagée ?), eut quitté la chambre où gisaient ses enfants (il était resté sur le seuil, ne s'était pas approché du lit), il avait rejoint Marlyne, s'était effondré près d'elle sur le canapé.

Qu'il eût, à l'évidence, compris tout de suite ce qui s'était passé avait accru le trouble des policiers.

Il n'avait pas eu de questions, n'avait pas demandé comment le drame s'était produit, qui en était l'auteur, il n'avait pas, comprenait Me Susane, endossé le rôle de celui qui ne s'était douté de rien.

Avait-il pu, à ce moment-là encore, croire à un « accident domestique » ?

Les deux policiers diraient que cette hypothèse n'avait pas même effleuré leur esprit, qu'ils n'avaient jamais envisagé que cet homme sensé, sobre et lucide ait pu croire que ses trois enfants étaient morts ensemble, par accident, dans le même bain.

Principaux, tout simplement, ne paraissait pas suffisamment « émotionné ».

Il avait cependant demandé à la policière (le collègue ne s'en souviendrait pas clairement mais Marlyne le confirmerait, quoique à sa façon hésitante, vaporeuse) si, étant revenu plus vite, étant monté dans sa voiture dès que Marlyne l'avait prié de rentrer, il aurait pu arriver avant que Marlyne eût agi.

Est-ce que je les aurais sauvés, avait-il dû demander, si j'étais arrivé plus tôt ?

La policière, bien sûr, l'ignorait.

Elle s'était gardée de répondre quoi que ce fût.

Elle lui avait tapoté l'épaule, cet homme lui faisait pitié mais elle ne pouvait rien pour lui.

Me Susane consacra son après-midi à lire tout ce qu'elle put trouver sur le cas Principaux et à prendre des notes fiévreuses, imaginant ce qu'on ne lui disait pas, ce que personne ne pouvait savoir encore.

Quand elle rentra chez elle, la nuit était tombée depuis longtemps.

Et alors qu'elle s'était attardée au bureau, qu'elle avait ensuite marché d'un pas lent dans le froid précisément pour éviter de retrouver Sharon, celle-ci était encore là à son arrivée, s'activant dans la cuisine, les joues, le front curieusement rouges.

Une grande fatigue s'abattit sur Me Susane.

Elle n'avait pas le courage, ce soir, de bavarder avec Sharon.

— Sharon, il est très tard, il faut partir tout de suite, lui dit-elle doucement, détournant son regard du visage échauffé de la jeune femme.

— Oui, j'ai fini de préparer le dîner, je m'en vais, répondit Sharon.

Me Susane sortit l'écharpe orange de son sac, l'accrocha au portemanteau.

Sans regarder Me Susane qui, du reste, éprouvait un si grand épuisement qu'elle se sentait se figer dans une apathie fort opportune, Sharon attrapa l'écharpe orange, l'enroula à son cou d'un geste volontaire, presque brutal, puis elle quitta l'appartement après avoir marmonné sans doute :

— À demain.

Me Susane découvrit dans la cuisine une scène de féerie – ou propre à « flanquer la trouille », dirait-elle à ses amis en roulant des yeux pour sembler amusante et bien qu'elle n'eût éprouvé alors nulle frayeur mais une pure euphorie pleine de gratitude.

Elle trouvait plus facile, avec ses amis, l'ironie concernant Sharon car Sharon avait le pouvoir de la blesser pour un rien.

Mais elle sut aussitôt, en entrant dans la cuisine, que Sharon avait voulu avec ferveur la rendre heureuse ce soir-là, se faire pardonner quelque chose dont elle jugeait préférable de ne point parler ou dont elle avait trop honte de parler pour ne pas estimer plus simple d'agir, fût-ce en mettant, dans cette cuisine, son cœur à nu.

Sur chaque surface lisse, paillasse, étagères, table, dessus de réfrigérateur, même sur la chaise et le tabouret qu'elle avait pris soin de garnir d'un tissu fleuri, Sharon avait posé un bol, une assiette ou une marmite miniature contenant un mets d'une grande élaboration, constaterait Me Susane.

Jamais Sharon, qui lui avait toujours préparé de délicieux dîners, n'avait cuisiné pour Me Susane avec un tel raffinement.

Chaque plat ne contenait qu'une portion, chaque plat était différent de son voisin, ce qui signifiait que Sharon avait confectionné séparément, en toutes petites quantités, une douzaine de menus festins.

Me Susane ne reconnaissait pas la plupart des récipients, certaine, par exemple, de n'avoir jamais eu chez elle ces minuscules cocottes de fonte colorées dans lesquelles Sharon avait disposé les préparations chaudes – adorables, futiles, mignardes cocottes dont Me Susane réprouvait le concept et qu'elle savait très chères.

Se pouvait-il que Sharon eût acheté ces quatre marmites microscopiques, ces bols aux motifs japonais, ces délicates assiettes légèrement creuses qui s'offraient modestement mais de manière sentimentale et vibrante (douées d'une âme !) à l'admiration de Me Susane ?

Les assiettes la hélaient gentiment, lui demandaient poliment d'approcher.

Elles étaient de fine porcelaine et leur bord ne pouvait être plus mince, leur opalescence plus subtile.

Jamais Me Susane ne se serait offert une aussi belle vaisselle.

Elle n'aurait pas osé, par chasteté, et du reste n'y eût pas songé, de sorte qu'elle n'aurait renoncé à rien.

Et voilà que les bols azurés, les assiettes iridescentes l'avisaient de leur esprit.

Nous vivons quand vous nous regardez et nous touchez, alors contemplez-nous, appréciez-nous comme nous le méritons ! disaient à Me Susane les bols de Sharon.

Éveillez-nous, sortez-nous de la torpeur où nous plongent les regards ignorants ! clamaient muettement encore les bols.

Alors Me Susane souleva doucement chaque couvercle, elle huma et observa ce que les récipients contenaient : la petite cocotte vert d'eau, deux foies de lapin à l'ail et aux oignons parsemés de coriandre fraîche, la petite cocotte bleu ciel, une cuisse de poulet mijotée dans une sauce verte et crémeuse (de l'oseille ?), et la petite cocotte jaune pâle, un risotto aux asperges.

Quant aux assiettes, aux bols, Sharon les avait coquettement emplis : 1) salade de pommes de terre, roquette et oignon rouge, 2) petit épeautre aux tomates séchées, 3) poulet en gelée, carottes, poireaux, citron confit, 4) filet de bœuf froid au poivre et gros sel, lamelles de cornichon, 5) fenouil à la grecque, 6) champignons à la grecque (champignons de Paris frais alors que Me Susane ne les connaissait, dans l'acception « à la grecque », qu'en boîte car ses parents achetaient au supermarché cette louche préparation épaissie à la gélatine), 7) crevettes roses sèchement sautées, presque brûlées, saupoudrées de poivre du Sichuan, 8) crozets de sarrasin aux lamelles de beaufort, 9) thon à peine cuit au sésame grillé.

Me Susane, bien qu'elle eût préféré dîner rapidement pour réfléchir au cas de Marlyne Principaux, mit un point d'honneur à déguster les plats de Sharon.

Elle n'en pouvait plus.

Cependant elle se força, elle mangea jusqu'au dégoût.

L'idée d'offenser Sharon l'horrifiait.

Moins encore elle eût pu tricher, songer à jeter ce qu'elle ne mangerait pas pour abuser Sharon et enfermer la nourriture dans un sac-poubelle qu'elle enfouirait dans son cartable d'avocate.

Non, semblable nourriture ne pouvait se gâcher – un tel travail, un tel présent fait à Me Susane, une telle dépense aussi !

À qui présente des excuses ou des regrets de cette façon

on ne peut opposer de motif valable pour ne pas les accepter totalement et avec les efforts, le léger sacrifice qu'implique ce consentement.

Me Susane lava soigneusement tous les récipients, les essuya et les rangea sur la table.

Elle avait tant mangé qu'elle en éprouvait une sorte de vertige, comme si elle avait bu immodérément.

Puis elle s'endormit avec peine et se réveilla trois fois dans la nuit, se sentant lourde, lestée, affaiblie mais dès que, dans une semi-conscience, elle se souvenait de l'origine de cette indisposition, un élan de gratitude et de soulagement la rapprochait de Sharon qu'elle remerciait alors intérieurement.

Qui, dans la vie d'adulte de Me Susane, s'était jamais soucié de lui faire honneur ? Même au prix d'une indigestion et d'une nuit éprouvante ?

C'étaient de sombres journées de glace et de brume sur Bordeaux.

Me Susane tentait de se rappeler le plus précisément possible son après-midi chez les Principaux (si tel avait bien été leur nom) lorsqu'elle avait dix ans et Gilles (s'il s'était bien agi de lui) quatorze (ou quinze peut-être ?).

Elle avait, en réalité, un si net souvenir de cette journée fabuleuse qu'elle en arrivait à douter d'elle-même, de sa mémoire.

Était-il possible que tout se fût déroulé aussi harmonieusement ?

Et l'intuition de M. Susane, selon laquelle elles avaient toutes les deux été leurrées et violentées dans cette belle maison de Caudéran, pouvait-elle la mettre sur le compte de la jalousie ou de la peur et d'un besoin primaire chez lui de défendre ses sobres mœurs contre les dérèglements séducteurs des bourgeois ?

M. Susane était un homme droit, un époux loyal et un père intègre, et, profondément, un homme confiant.

Pourquoi, alors, sentait-il quelque chose d'abject dans cette histoire et quel crédit accorder à sa perception des choses ?

Elle avait des souvenirs quand il n'avait que des impressions.

Pourquoi se sentait-elle obligée de défendre ses souvenirs contre les impressions de M. Susane ?

Ses réminiscences, comme souillées par le scepticisme de son père, lui apparaissaient moins nettes, moins sûres.

Me Susane regimbait cependant.

Ils étaient deux à savoir ce qui s'était passé dans cette chambre, le garçon et elle.

M. Susane, mal armé de ses préjugés, de son instinct faussé, n'avait pas le droit de l'influencer.

Ou peut-être que si, puisqu'elle était sa fille et qu'il l'aimait ?

Me Susane glissait sur les trottoirs gelés plus souvent qu'elle n'aurait dû, elle marchait trop vite, distraite, préoccupée.

Une petite veine saillait depuis peu sur sa tempe, clignotante.

Elle la sentait vivre et battre comme une ambassadrice de son cœur qui lui ne se faisait pas connaître – mais la petite veine messagère disait la vérité de ce dernier !

Au cours de cette longue semaine transie, ténébreuse durant laquelle Me Susane attendait que Marlyne Principaux lui demandât officiellement de la défendre, elle dîna avec Rudy, à l'invitation de celui-ci, dans un restaurant de la rue Saint-Rémi dont tous deux aimaient à dire qu'ils y avaient leurs habitudes bien qu'ils ne s'y rendissent que rarement puisque jamais l'un sans l'autre et que nul employé ne parût jamais les reconnaître, de même que ni Rudy ni Me Susane ne remettaient jamais le moindre visage, imputant cela à la rotation effrénée du personnel, néanmoins concédant que si la même serveuse les avait accueillis chaque fois ils s'en seraient difficilement rendu compte tant une délectable mais éprouvante intensité imprégnait leurs rendez-vous à la Brasserie Bordelaise.

Me Susane avait connu Rudy dans le cabinet qui l'avait employée.

Il y était, comme elle, avocat tout juste diplômé, inquiet mais généreux, anxieux de faire ses preuves et prêt à une totale abnégation, toutes qualités que Me Susane avait reconnues comme les siennes.

L'ensemble des jeunes avocats que recrutait ce cabinet renommé de la place Tourny possédaient ces qualités à des degrés divers de scintillement.

Ce qui avait lié Me Susane et Rudy (comprenait-elle mais pas lui) tenait à ce que leurs milieux respectifs ne les avaient pas préparés à une telle carrière, à une telle réussite, ni à côtoyer des jeunes gens de l'espèce de ceux que le cabinet avait engagés en même temps qu'eux : familles aisées du centre-ville ou des vignobles.

Les parents de Rudy avaient travaillé dans les vignes du Médoc.

Ils étaient espagnols, s'étaient installés à Margaux quelque cinquante ans auparavant.

Les frères et sœurs de Rudy s'étaient embauchés dans les vignes dès la sortie du collège.

Rudy, lui, s'était accroché pour entrer au lycée, obtenir son bac même si de justesse, étudier le droit, réussir chaque examen.

Comme il n'était pas brillant mais bûcheur et courageux, obstiné, il lui semblait toujours qu'il était admis in extremis, presque par erreur.

Ses parents lui disaient d'ailleurs, soulagés plus qu'heureux à l'annonce d'un succès ou, pour eux, de l'ajournement d'un échec :

— Quelle chance, mon dieu, quelle chance !

Alors ils redoutaient la chute, qui se révélerait d'autant plus lourde que Rudy bravait son destin de fils d'ouvrier agricole et qu'il convoitait, fût-ce en tremblant, mieux que son dû.

Comme il avait tremblé en effet !

Qu'il fût parvenu au but, muni ou entravé d'une si piètre confiance en ses capacités, voilà qui avait ému Me Susane lorsqu'ils s'étaient rencontrés au cabinet, qu'ils s'étaient flairés et sentis pareils, c'était du moins ce dont elle était persuadée.

Rudy s'offensait bêtement d'un amour par affinités de milieu, de condition.

— Qu'est-ce que ça change, lui glissait-elle amusée, aux premiers temps de leur relation, que nous soyons allés l'un vers l'autre parce que nous étions seuls à venir de là où nous venions ? Est-ce que nous nous aimons moins bien pour autant ?

Elle ne disait pas à Rudy : Et puis quelle importance,

l'amour ? Il suffit de bien s'entendre, de parler, de s'amuser ensemble, non ?

Elle ne le lui disait pas car Rudy voulait aimer absolument.

Quelle fatigue parfois !

Je t'aime beaucoup, Rudy, ne lui avait jamais dit Me Susane, et cette déclaration que tu trouves décevante correspond au plus haut point de mon aptitude à aimer. Comme je suis rétive à l'idée d'aimer davantage, comme je ne crois pas, pour moi, à l'amour fou et comme me rebutent, de toute façon, les obligations d'un semblable amour, soyons d'excellents compagnons, aimons-nous tranquillement et virilement.

Mais Rudy était un homme sentimental.

Ils avaient vécu ensemble trois ou quatre ans dans un vieil appartement du quartier Saint-Michel d'où ils se rendaient conjointement, chaque matin, au cabinet, puis Me Susane, soulagée, avait accédé à la demande de Rudy d'une séparation provisoire, demande ou prière qu'il avait formulée avec tant de chagrin qu'elle n'avait pas eu le courage (elle l'aimait beaucoup !) de faire montre d'une peine modérée ni, surtout pas, de son allégresse à l'idée d'être enfin seule.

Elle avait pleuré avec lui, des sanglots secs et faux, pensant l'aider puisqu'il voulait partir, croyait ainsi la meurtrir et s'en voulait terriblement de ce qu'il se figurait être l'affliction de Me Susane.

Elle avait pleuroté cependant que son cœur véritable battait de joie vigoureusement.

Elle se sentait néanmoins toujours coupable envers Rudy puisqu'elle l'avait dupé sans le vouloir, mais sans tenter que cela ne fût pas, et qu'elle lui avait donné toutes les raisons de se figurer qu'elle l'aimait à sa manière à lui.

Et quand Rudy, atterré de sentir qu'il n'aimait plus Me Susane avec la même passion, qu'il lui découvrait des défauts importants et, sans doute, prit ombrage de la loyale affection qu'elle lui témoignait au lieu de l'amour souverain qu'il lui avait offert, quand Rudy lui annonça avec force précautions qu'il avait envisagé de s'en aller, elle lui mentit encore par ses larmes et ses propos consternés, pour le ménager songeait-elle puisqu'il avait endossé le rôle du plus sensible des deux.

Me Susane, durant son histoire avec Rudy, n'avait cessé de se sentir débitrice : il s'était voué, elle avait rendu bien en deçà.

Toujours avait grondé sourdement dans sa conscience l'idée que Rudy aurait dû comprendre qui elle était et comment elle aimait, et qu'elle avait fait aux vues qu'il avait sur l'amour des concessions qu'il aurait refusées, indigné, à la théorie que Me Susane s'était construite, elle, de ce que devait être un couple.

Mais elle n'y pensait plus guère.

Elle était toujours heureuse de revoir Rudy, son plus vieil ami, le plus sûr, le seul, en vérité, à qui elle osait parfois se confier.

Son impatience à lui parler des Principaux la rendait fébrile cependant qu'il racontait avec une légère tristesse d'amusantes anecdotes au sujet de sa fille de sept ans.

Il racontait parce qu'il savait que Me Susane avait de la tendresse pour cette petite fille.

Il racontait sans grand plaisir mais pour divertir Me Susane, comme à chacune de leurs rencontres.

Rudy avait rencontré, après leur rupture, une clerc de notaire, ils s'étaient mariés, avaient conçu Lila puis avaient divorcé.

Rudy en éprouvait une amertume inguérissable.

Encore une fois l'Amour avait été trahi, se disait secrètement Me Susane.

Rudy gardait Lila une semaine sur deux et il était arrivé qu'il la confiât, pour une nuit, à M. et Mme Susane qui venaient chercher l'enfant à Bordeaux, l'emmenaient à La Réole puis la reconduisaient chez son père le lendemain.

Me Susane avait lancé l'idée de cet arrangement un jour que Rudy s'était plaint de ne pouvoir s'occuper de Lila certains soirs, quand il devait rentrer du cabinet après minuit.

— Mes parents pourraient la garder de temps en temps, si cela t'arrange, avait proposé Me Susane spontanément, sachant l'affection que ses parents avaient toujours eue pour Rudy, leur tristesse quand il était parti, leur joie teintée de mélancolie lorsqu'ils avaient appris que Rudy avait eu un enfant.

— Ça devrait être le tien, avait dit Mme Susane, et Me Susane avait répliqué dans un petit rire, tant elle se sentait proche de Rudy :

— Mais c'est un peu le mien, tu sais !

Chacun s'était félicité d'une telle disposition, à commencer par l'enfant, pensait Me Susane, qui trouvait à La Réole, dans l'aimable, le loyal, l'indéfectible foyer des Susane une constance d'humeur, d'habitudes et d'horaires dont elle ne jouissait guère chez son père ni, manifestement, chez sa mère clerc de notaire qui avait empoisonné le caractère de Rudy et était parfaitement et irrémédiablement désaxée selon celui-ci.

Me Susane s'avouait qu'elle éprouvait une vague amitié pour cette femme qui s'était dégagée de l'amour fou.

Rudy n'en était pas plus sage.

Il se sentait floué, jamais dans l'erreur.

Il cherchait encore, assurait-il, la femme qui saurait apprécier le don qu'il faisait de lui-même lorsqu'il aimait, tout comme il savait, lui, reconnaître une telle grâce et la restituer.

Il semblait néanmoins à Me Susane qu'une certaine fougue avait abandonné Rudy, qu'il n'éprouvait plus autant d'impatience à tomber amoureux, ni une telle excitation quand il pensait l'être, qu'il se forçait légèrement à la folie.

Elle le critiquait avec mansuétude.

N'était-il pas, au fond, son seul ami véritable ?

Ils vieillissaient ensemble, vaille que vaille.

Rudy était long, maigre, tout en os et tendons, Me Susane était haute et large, une tour majestueuse.

Ils avaient formé, selon Mme Susane qui s'était difficilement remise de leur séparation, « un couple bizarre mais superbe ».

Quand Rudy eut conclu son récit des menus faits et gestes de Lila, Me Susane se hâta de lui apprendre qu'elle était en froid avec ses parents.

Elle lui avoua même, saisie d'un douloureux effarement, qu'elle avait bloqué le numéro de sa mère.

— Ce n'est pas le moment, dit-elle, de leur demander de garder Lila.

Rudy la fixait sans comprendre.

— Tu veux dire que tu t'es brouillée avec eux ?

Elle se récria, heurtée, que ce n'était pas du tout cela.

Puis une idée, soudain :

— Tu te souviens de Sharon qui fait le ménage chez moi ? Elle pourrait s'occuper de Lila, je pense qu'elle serait d'accord.

— Mais, dit Rudy, tu es brouillée avec tes parents ?

Il semblait brusquement si affligé, si désorienté que Me Susane faillit lui répondre avec acrimonie.

Elle dit très doucement :

— Ce sont eux, tu sais, qui ont décidé de me dire adieu, ou plutôt mon père.

Elle eut un petit rire :

— Il ne consent à me revoir, à me parler que si je déclare avoir été la victime d'un certain jeune homme il y a trente-deux ans de cela. Il ne sait rien, il ne voit rien, son imagination est pitoyable. Et il veut absolument que j'aie été… que j'aie été enjôlée et profanée. C'est absurde, c'est obscène et je dois lutter contre mon propre père pour ne pas transformer mon souvenir, pour ne pas l'ajuster à ce qu'il se représente ! Pourquoi veut-il absolument qu'on ait abusé de moi ? Qu'est-ce que cela lui apporterait, dis-moi, de recueillir ma confession au bout de tant d'années ?

Me Susane rit encore, un peu trop fort selon son propre jugement.

Ô mon cœur impétueux, apaise-toi, ne te dévoile pas ainsi !

— Ta confession ? Quelle confession ? demanda Rudy, ahuri.

— Je n'ai pas parlé de confession, dit-elle fermement.

— Mais si, c'est le mot que tu as prononcé, confession. Tu riais mais j'ai bien entendu.

À cet instant la serveuse vint prendre leur commande et Me Susane, soulagée, exténuée, feignit d'hésiter entre différents plats afin de faire durer le moment après lequel il ne paraît plus si naturel de reprendre la conversation au point où on l'avait interrompue, comme on n'imagine guère possible, se dit-elle, de replonger dans le même mauvais rêve une fois qu'une contingence extérieure nous en a délivré.

Et en effet, la serveuse repartie, Rudy revint à Lila, aux joies que lui procurait cette petite fille mais surtout aux difficultés qu'il rencontrait à prendre soin d'elle, et quand Me Susane suggéra de nouveau de faire garder Lila par Sharon, Rudy s'anima, intéressé, enthousiaste, comme s'il avait oublié ce que Me Susane avait relaté par ailleurs.

Elle s'en félicita.

— Puisque Sharon travaille parfois tard chez moi, elle pourrait avoir Lila avec elle, cela l'arrangerait bien de gagner un peu plus, dit-elle, se répétant, bavardant avec soulagement.

— Oui, excellente idée.

Rudy lui souriait, plein de gratitude.

Il ne savait pas, songeait-elle, à quel point il l'aimait, avait besoin d'elle – pauvre, pauvre Rudy !

Elle lui demanda brusquement :

— Que sais-tu de la famille Principaux ?

— Eh bien, dit Rudy après un temps, c'est l'histoire de cette femme qui a tué ses enfants, non ?

— Oui, mais est-ce que tu connais d'autres personnes nommées Principaux ?

Rudy réfléchit, secoua la tête :

— Non, je ne vois pas. Pourquoi ?

— Une certaine Mme Principaux exploite honteusement Sharon.

Me Susane parlait d'une voix soudain sifflante, conspiratrice et si basse que Rudy pencha son long buste au-dessus de la table pour mieux l'entendre.

— Elle fait travailler Sharon sans aucune morale, elle

profite de sa vulnérabilité pour la payer quand ça lui chante, elle la punit pour des broutilles, oui tu te rends compte, elle ose juger et punir une adulte, bref elle fait de Sharon, à peu de chose près, son esclave.

— Ah, dit Rudy. Qu'est-ce que tu veux faire ? La dénoncer ?

— Je ne peux pas faire ça, moi non plus je n'emploie pas Sharon légalement puisqu'elle n'est pas encore en règle, j'y travaille, tu sais. Mais, vois-tu, l'idée que cette Principaux profite de la situation, je ne peux pas le supporter.

Comme sonné par le ton de Me Susane Rudy recula, rassembla son torse annelé, se tassa sur sa chaise avec circonspection.

— Tu ne m'avais pas dit que Sharon n'avait pas ses papiers…

— Elle les aura bientôt, ce n'est pas le problème. Ne t'inquiète pas, elle s'occupera de Lila mieux qu'aucune nounou agréée.

Me Susane n'éprouva nullement le sentiment de mentir à Rudy bien que, d'une part, elle sût qu'elle n'obtiendrait pas de sitôt la régularisation de Sharon et que, d'autre part, elle n'eût aucune idée précise de la manière dont Sharon se comportait avec les enfants.

Elle savait néanmoins.

Lorsqu'elle avait croisé Sharon au centre commercial et que celle-ci avait feint de ne pas la reconnaître, Me Susane avait été frappée au cœur : Sharon ne voulait pas présenter ses enfants, offrir la faveur d'une telle rencontre avec deux petits êtres admirables à la femme qu'était Me Susane.

Elle avait vivement passé son chemin, ses bras posés

sur les fines épaules de son garçon, de sa fille, protégeant leur pureté.

Me Susane, dès le début, ressentait que Sharon voyait en elle une femme obscurément, profondément corrompue – un marécage.

Et Me Susane haïssait cela chez Sharon.

Me Susane se sentait aussi innocente de ce dont l'accusait l'intuition fruste de Sharon que l'étaient les deux enfants gracieux, amènes, subtils sur les épaules desquels Sharon avait fait descendre avec ostentation son bras protecteur et puritain.

C'était ce bras, pensait Me Susane avec colère, le poids édifiant de ce bras qui viciait le cœur franc des enfants.

Que penseraient-ils de Me Susane le jour où ils la rencontreraient, puisque cela ne pourrait manquer d'arriver, et qu'ils se rappelleraient peut-être avoir croisé cette femme au centre commercial ?

Ils se le rappelleraient précisément parce que leur mère, de son bras soudain lourd et pressant sur leurs épaules, les avait préservés d'un contact censément dangereux avec Me Susane, *les avait soustraits à son orbe délétère* ?

Parfois elle haïssait Sharon qui, selon toute apparence, avait fait toute seule le procès de Me Susane, l'avait jugée et condamnée sévèrement sans que l'intéressée eût la moindre idée de ce qu'on lui reprochait.

Elle sent quelque chose en moi mais de quelle nature ?

Je ne suis pas propre à ses yeux mais, mon dieu, qu'ai-je fait qui m'aurait souillée au point que Sharon le renifle (une émanation de ma peau, de mes cheveux, de mon regard peut-être) et me voue de ce fait une détestation pleine de crainte et de répugnance ?

Oh oui, Me Susane éprouvait parfois envers Sharon une véritable haine pour être, par la jeune femme, aussi injustement évaluée.

Seul un sens héroïque de l'honneur professionnel l'avait empêchée de tout envoyer promener, de mettre Sharon à la porte, de détruire le dossier Famille Sharon et d'oublier définitivement ces gens-là.

Elle était pourtant sincère dans son indignation devant Rudy : la pensée d'une Principaux ou de quelque autre faisant violence à Sharon la plongeait dans une rage qu'elle n'avait jamais ressentie pour son propre cas.

Elle tendit la main vers celle de Rudy, il la posa dans la sienne.

Ils étaient amis pour toujours.

— Je veux rendre justice à Sharon, lui murmura-t-elle, et à Marlyne également.

Mais je ne les aime pas !

Comme je ne les aime pas !

Plus tard, alors que la serveuse leur avait apporté leur steak tartare, Me Susane décrivit à Rudy le festin que lui avait offert Sharon, la joie que ces mets lui avaient procurée.

Elle le regretta aussitôt, comme l'expression d'une intimité, d'un for intérieur que même Rudy, son seul ami véritable, n'avait pas à connaître.

Toutefois il ne commenta pas ce récit.

Il n'en comprenait pas le sens ni l'intérêt, songea Me Susane rassurée, et la cuisine, les recettes l'ennuyaient.

— Au fait, dit-il quand ils en furent au café, tu ne m'as pas expliqué ce que ton père veut te faire raconter exactement. Est-ce qu'il se trompe ou est-ce toi qui ne souhaites pas raconter ce qu'il sait ? Qu'est-ce qu'il sait d'ailleurs ? De quoi s'agit-il précisément ?

— Il ne sait rien, répondit Me Susane avec empressement. Il ne fait que rêver, il alimente les images banales que forme son esprit à partir de tout ce qu'il entend à la télévision. Il pense qu'il est de son devoir de père d'être convaincu du pire, même sans le moindre élément.

— Alors, dit Rudy, ce que tu appelles mystérieusement « le pire » ne s'est jamais produit ?

— Non, dit fermement Me Susane. Il ne s'est produit que le meilleur.

Me Susane savait que Sharon, d'elle-même, ne lui parlerait pas des « deux autres dames » pour lesquelles elle travaillait.

Me Susane ne lui dit rien à ce sujet.

Elle avait grandement rendu hommage au repas de féerie et de contrition, comprenant qu'il s'agissait de la façon dont Sharon s'excusait de lui avoir menti par omission.

Mais Sharon continuait probablement de se rendre chez ces autres dames et Me Susane ne le lui reprochait pas maintenant qu'elle savait et que Sharon savait qu'elle savait.

Me Susane ne pensa pas un instant à réduire le salaire qu'elle versait à Sharon au prétexte que celle-ci s'éclipsait durant plusieurs heures de son lieu de travail puisque cela ne changeait rien à l'état de perfection ménagère dans lequel Sharon laissait l'appartement.

Elle ne lui posa qu'une question, d'une voix aussi débonnaire que possible :

— Cette Mme Principaux, Sharon, quelle est son

adresse ? Et Mme Pujol, ajouta-t-elle hâtivement, où habite-t-elle ?

Comme elle se moquait de Mme Pujol !

Même des vilenies de Mme Pujol !

Il lui semblait pouvoir pardonner plus aisément les pires bassesses de Mme Pujol envers sa bonne que les menues saloperies d'une Principaux.

Mais, de son hantement, elle ne voulait pas que Sharon se rendît compte.

— Je préfère l'écrire, murmura Sharon.

Elle détournait sa fière petite tête haut perchée sur son cou frêle – et ses cheveux longs, lisses, souples que contraignaient difficilement les oreilles minuscules –, et Sharon avait ce geste qu'adorait surprendre Me Susane : les ongles las qui fendaient la chevelure pour la ramener à sa place, à l'arrière des oreilles exquises, et la trace persistante de ce geste comme des sillons dans une terre noire.

Me Susane et Sharon se tenaient dans la cuisine.

Le soleil froid illuminait doucement les quatre petites cocottes de fonte chatoyantes que Me Susane avait choisi de disposer sur une étagère, bien en vue.

Sharon arracha un morceau d'essuie-tout et Me Susane courut jusqu'à son sac pour en extraire un stylo.

Plus tard, lorsque Sharon fut partie, Me Susane déplia le bout de papier que Sharon avait plié en six : Princip 27 place pey berland cod 5632 Puj 30 rue rosa bonheur.

La neige tombait chaque nuit, fondait au matin puis le grand froid revenait et congelait l'eau sale des trottoirs.

Une prostration cotonneuse envahit Bordeaux, toutes intentions, semblait-il, en suspens.

Me Susane attendait toujours un signe de Marlyne Principaux qu'elle considérait déjà indûment, imprudemment, comme sa cliente.

Avec peine, à tout petits pas dérapants, elle marcha jusqu'au 27 place Pey-Berland dans la lumière retenue et chaste d'une implacable journée d'hiver.

— C'est dangereux de rouler à vélo sur la glace, avait-elle dit à Sharon, je préférerais que vous ne veniez pas travailler en ce moment.

Sharon avait répondu exactement ce que Me Susane pensait qu'elle répondrait, et sur le ton coupant et détaché, contrarié et malheureux, qu'avait auguré Me Susane :

— Je vais venir, il n'y a pas de problème.

— Les autres dames ne vous ont rien dit ? Elles ne vous ont pas dit de ne pas prendre votre vélo en ce moment ?

— Je ne parle pas avec les autres dames, chuchota Sharon, je ne m'occupe pas de leur vie et elles ne s'occupent pas de la mienne.

— Quand m'apporterez-vous, Sharon, votre acte de mariage ? demanda alors Me Susane avec brusquerie.

Comme elle peinait à contenir sa colère envers les deux autres patronnes !

Redoutant que Sharon ne prît pour elle cet accent furibond, elle ajouta avec une grande douceur :

— Je vous l'ai dit, j'en ai besoin pour votre dossier. Si vous pensez pouvoir le retrouver...

— Oui, dit Sharon agacée, il faut juste que je trouve le temps de chercher, voyez-vous.

Elle haussa les sourcils, se détourna, faisant visiblement, royale, effort de patience à l'égard de Me Susane

– n'avait-on pas déjà parlé de cette histoire d'acte de mariage ?

— Il faut bien que je constitue le dossier, marmotta Me Susane, s'excusant presque.

— Oui oui, bien sûr, dit Sharon, comme elle eût tapoté le bras de Me Susane pour la détendre.

Et elle était alors, à la grande stupéfaction de Me Susane, indéniablement condescendante.

Elle resta quelques secondes immobile devant la haute porte cochère vert olive du 27, ses pieds bottés bien écartés sur le pavé glissant, vigoureusement ceinturée dans son grand manteau de laine gris – gris également ses cheveux courts et drus, autrefois excessivement longs, diaprés, orgueilleux.

Enfant, Me Susane avait eu une telle chevelure, elle s'en était parée, lui avait consacré de longues heures frivoles, maniaques, vaniteuses !

Ses parents, surtout son père, se faisaient gloire de ces cheveux.

Mme Susane n'en avait pas de si beaux.

M. Susane, lui, s'était toujours créé des fantômes à ce sujet : si sa fille n'était pas « belle à peindre », elle était cependant dotée d'une chevelure si profuse, moirée, énigmatique et parfumée qu'il s'en sentait riche par procuration ou peut-être même directement, avait parfois pensé Me Susane.

Elle évitait de se rappeler, tant ce souvenir l'attristait, que son père avait affiché un véritable désespoir lorsqu'elle avait coupé ses cheveux, puis qu'il lui avait longtemps battu froid comme si on l'avait brutalement amputé de sa propre chevelure, lui, M. Susane, qui par ailleurs ne tirait orgueil de rien – comme si on avait voulu le rabaisser et l'humilier, lui, M. Susane, qui ne possédait rien dont tirer orgueil en dehors des cheveux luxuriants de sa fille.

À présent Me Susane les avait courts, gris et touffus, parfois hérissés quand elle les coiffait machinalement d'une main trop vive.

— Tu passes un après-midi chez ces gens et après tu te coupes les cheveux ! s'était exclamé un M. Susane inconsolable.

— Et après ? avait susurré Me Susane du haut de ses dix ans, sur un ton vaguement menaçant. Qu'est-ce que ça peut te faire ? Ils étaient sur mon crâne, pas sur le tien !

M. Susane avait battu en retraite, peu habitué à la bagarre, aux éclats de voix, détestant naturellement la dissension et portant par ailleurs une si grande tendresse à sa fille qu'il ne pouvait imaginer la contrer, au risque qu'elle pensât qu'il l'aimait moins.

Mais il l'avait aimée fièrement et sans conteste tant qu'elle avait arboré cette splendeur aux mille reflets châtain ambré sur sa petite tête par ailleurs ordinaire – ne l'avait-il pas aimée, ensuite, avec rancune, avec une légère distance, comme si Me Susane avait immolé ce qu'il avait préféré en elle ou, plus exactement, le seul élément de son physique qui n'eût pas dépité M. Susane ?

Car elle savait, depuis l'enfance, qu'elle n'était pas jolie.

Elle savait, sans que quiconque lui eût fait de réflexion à ce sujet, que l'irréparable absence de joliesse chez une petite fille chérie ne peut que désappointer cruellement les parents.

Elle savait aussi que ces derniers ont une propension paradoxale mais coutumière, fatale donc pardonnable, à tenir rigueur à la petite fille de n'être point jolie plutôt qu'à blâmer leurs propres défauts qui, nombreux, multipliés dans l'acte de reproduction, se retrouvent flagrants et désolants sur le visage et dans la silhouette de l'enfant.

Me Susane savait cela depuis toujours !

Elle avait accepté, enfant, son visage large et plein dépourvu de méplats, de pommettes, son front étroit et ses yeux trop ronds, avec une résolution d'autant plus allègre qu'elle croyait pouvoir ainsi arracher ses parents à leur déception (de n'avoir pas enfanté une « petite princesse », selon l'expression de Mme Susane lorsqu'elle évoquait certaines fillettes à la belle figure).

Elle avait réussi, oui !

Aidée de ses cheveux magnifiques dont M. et Mme Susane s'étaient gentiment disputé le privilège de les brosser quand elle était petite, puis dont elle avait pris elle-même un soin proportionnel à la place que cette chevelure tenait dans la vie de ses parents – un soin très grand, maniaque, envahissant et qui pourtant ne lui pesait pas puisqu'elle le faisait pour eux, tant pour les contenter que pour se faire pardonner (avec succès !) son incontestable manque de beauté, ou les amener à oublier celui-ci.

Me Susane avait eu pourtant, dès l'enfance, un atout majeur : elle était grande alors que ses parents ne l'étaient pas.

Elle était même, comparée à eux, d'une taille miraculeuse, énigmatique, presque effroyable.

Cet avantage s'était transformé en faiblesse lorsque Me Susane était devenue une jeune fille plantureuse.

Elle s'était développée de partout sans mesure.

Elle s'était transformée en un étrange colosse, elle n'avait plus rien de gracieux, d'attendrissant, mais dégageait une puissance dure et déconcertante, une robustesse obtuse qui avaient amené aux lèvres de M. Susane, le jour des quinze ans de sa fille, cette remarque plaisante/amère :

— Je croyais avoir une fille, j'ai un fils en pleine santé !

Me Susane avait alors les cheveux courts depuis cinq ans déjà.

M. Susane ne s'en était jamais vraiment remis.

— Elle est trop grosse, chuchotait-il parfois à Mme Susane, croyant que sa fille ne l'entendait pas. Elle est massive, elle est énorme, elle a l'air d'un homme maintenant !

Alors Me Susane, que de tels propos bouleversaient, s'attachait à relever hardiment sa tête rase.

Elle se jurait, de manière confuse mais ferme, de n'avoir jamais de nouveau les cheveux longs.

Elle se sentait fière quoique profondément blessée.

Mais, consciente d'être blessée, elle n'en éprouvait pas de honte.

Elle tapa le code que lui avait donné Sharon.

Elle gravit le bel escalier de pierre jusqu'au deuxième étage et, suivant non sans tâtonner les indications imprécises de Sharon, sonna à une porte qui ne donnait pas sur le vaste palier aux murs de pierre blonde mais sur une encoignure de ce même palier – comme une porte de service, pensa-t-elle, étonnée car Sharon avait laissé entendre qu'il n'y avait pas d'autre entrée à l'appartement de Mme Principaux.

Elle attendit, sonna de nouveau.

Une fulguration l'éblouit.

Une flamme blême et intense, un fer chauffé à blanc devant ses yeux.

Me Susane, chancelante, appuya une épaule contre la porte à l'instant où celle-ci s'ouvrait.

Son œil droit était en feu – *ô mère viens à mon secours !*

Elle songea aussi : *Je me noie, je m'enfonce dans une eau dure et sale, pourquoi ne viens-tu pas à mon secours, pourquoi dois-je lutter contre toi, ton intention stupéfiante de maintenir ma tête dans...*

Me Susane trébucha sur le seuil.

Il lui sembla que son visage heurtait rudement la poitrine de quelqu'un.

— Mes yeux me font mal, murmura-t-elle.

— Ouh là !

La voix était surprise et calme cependant, flegmatiquement décontenancée.

Deux bras charnus, vigoureux, repoussèrent la tête de Me Susane puis se glissèrent sous ses aisselles, remontant les manches laineuses du manteau gris, pour prévenir une chute, un évanouissement.

Gris mon beau manteau d'alpaga dont je paye encore l'achat à tempérament, gris mes cheveux qui ne sont plus une chevelure et ne peuvent me dénoncer au souvenir de la Principaux, non plus que mes traits que les années ont changés – mais mes yeux, mon dieu...

Pourrait-elle, la Principaux, se remémorer Me Susane d'après son regard ?

— Tout va bien, ça va aller, tout va bien, disait la femme qui avait ouvert la porte.

Me Susane se redressa, lissa ses cheveux indociles.

Elle avait perçu un léger accent dans la voix de cette femme, elle s'en trouvait déroutée.

— Excusez-moi, marmonna-t-elle, oui, ça va maintenant, pardon.

— Ce n'est rien, rien du tout.

C'était une femme plus grande encore que Me Susane, vêtue de vêtements de sport, une femme jeune dont les cheveux tressés étaient noués en chignon sur le haut du crâne.

— Êtes-vous Mme Principaux ?

— Ah non !

Elle souriait, amusée qu'on puisse croire une chose pareille.

— Mme Principaux, dit Me Susane avec difficulté, est-elle là ?

— Oui. Mais vous ne pourrez pas la voir.

— Ah bon ?

— Mme Principaux ne voit personne.

— Vous travaillez ici ?

— Oui. Je dois vous laisser maintenant, j'ai à faire.

— Dites-lui que je suis passée ! cria Me Susane.

— Vous êtes ?

Me Susane se troubla.

Qui était-elle pour la Principaux ?

— Eh bien, dites-lui : la fille de Mme Susane, la repasseuse.

Est-ce qu'ils se souviennent de notre nom, eux ? avait lancé sa mère âcrement.

Qui était Me Susane pour tous les Principaux ?

Et qui étaient, les uns pour les autres, ces différents Principaux ?

— La repasseuse de La Réole, dit-elle d'une voix rapide avant que la porte se refermât, je suis sa fille, Mme Principaux comprendra.

Le visage attentif de la femme se teinta de méfiance.

Me Susane sentit qu'elle avait l'air bizarre, vaguement inquiétante.

Comme libérée alors, elle émit un petit rire.

Elle crut entendre le craquettement que produisaient, en s'étirant, les muscles de ses joues glacées.

— Les Principaux m'ont choisie, chacun à sa manière, dites-lui ça aussi, dites-lui aussi ma... ma gratitude !

— Très bien.

La femme aux tresses violettes exhalait un souffle froid, inamical, défiant, comme si, songea Me Susane, elle se rangeait instinctivement du côté de la Principaux, qu'elle protégeait celle-ci, se souciait de ne pas l'apeurer.

Me Susane comprit alors que la Principaux ne serait pas informée de sa visite, et en quelque sorte : surtout pas.

Un ricanement lui échappa.

Ce riotement amer, cette éructation pleine de ressentiment, elle les répéta non sans un acide plaisir puisque la Principaux ne se montrerait pas, ne se montrerait jamais.

Son cœur brusquement libre se gonflait de hardiesse.

— Votre madame ne manque pas d'employées ! s'exclama-t-elle. Il y a Sharon, il y a vous, il y a qui encore et à quel tarif, hein ? Dites-lui que ça ne pourra pas continuer longtemps ! Dites-lui que je sais tout !

Elle se força à transformer en rire ce renvoi acrimonieux, elle rit bruyamment, durant quelques secondes, devant la porte fermée.

Est-ce bien moi qui agis ainsi ?

Comme c'est étrange ! songeait-elle dans le même temps.

Cette Me Susane-là, alors, n'était pas loin de l'impressionner.

Quand elle trouva la lettre de Marlyne Principaux, elle la déposa doucement, sans l'ouvrir, sur son bureau.

Elle s'occupa de son client qui voulait changer de nom quoique ce nom fût beau, réputé, enviable à de nombreux égards.

Son client affirmait que c'était celui d'un négrier.

Me Susane n'en avait pas reçu la confirmation malgré les recherches qu'elle avait effectuées.

Cet homme en était certain toutefois.

Il était ardent, vengeur, il était preux et sa famille l'avait rejeté avec fureur.

Me Susane lui témoignait une compréhension prudente.

Elle travaillait à dénicher des éléments compromettants sur l'ancêtre, sans succès jusqu'alors malgré les longues heures qu'elle avait consacrées à fouiller la vie de ce négociant en vin.

Ce matin-là une neige imperceptible tendait sur les vitres du cabinet une opacité propice aux illusions, aux marmottements intérieurs, aux ressassements inspirés, pugnaces, revendicateurs.

Me Susane le savait, elle se méfiait de sa propension à dérouler le fil des responsabilités.

Aussi ouvrit-elle la lettre de Marlyne Principaux avec une lenteur pleine de détachement.

Comme cette femme lui déplaisait !

Mais comme elle lui était reconnaissante d'accepter que Me Susane fût son avocate, elle qui n'avait encore jamais plaidé aux assises, n'avait jamais démontré qu'elle était capable de sauver qui que ce fût !

Elle pensa aussitôt à téléphoner à ses parents puis, se rappelant que ce n'était pas opportun et que, du reste, ils ne manifesteraient que froideur dégoûtée face à l'affaire Principaux, elle remisa non sans tristesse son désir lancinant de forcer leur respect.

Dans son bureau aux fenêtres voilées de neige, parfaitement seule et négligeable, elle s'enfonça dans ces investigations qu'elle subodorait infructueuses au sujet du négociant négrier.

Pourtant elle se sentait joyeuse, excitée, effrayée, prête à guerroyer déjà – car Marlyne l'avait choisie et la pensée profonde de Me Susane volait loin du marchand de vin et bien loin de ce client dont l'instinct de passion s'était fixé sur son nom détesté.

Que n'avait-il, se disait-elle vaguement, cet homme intelligent, aisé, sympathique, qui « avait tout pour lui » aurait dit Mme Susane, que n'avait-il un autre sujet de fureur et d'embrasement que ce nom assurément innocent (ou pas coupable de manière probante) ?

Lorsque, quelques jours plus tard, elle voulut rendre une première visite à Marlyne Principaux à la maison d'arrêt de Gradignan, sa vieille Twingo refusa de démarrer, penaude, poussive et hoquetante et d'ailleurs seule de sa classe d'âge dans les travées du parking Tourny.

Me Susane, agitée, se retrouva dans le bus.

Elle craignait d'être excessivement en retard.

Elle fit le trajet debout, transpirant dans son long manteau.

Son crâne la picotait comme s'il avait eu besoin d'être lavé, gratté, raclé.

Elle le touchait machinalement, peignait ses cheveux de ses doigts tremblants.

Elle avait à ses pieds une grosse et belle sacoche de cuir tanné, vide et lourde cependant.

Me Susane n'avait rien à y ranger.

Le cuir ancien, les ferrures de laiton, les multiples poches à fermeture éclair : cette qualité de fabrication pesait au bout du bras.

Me Susane s'était dit qu'elle ne pouvait aller rencontrer sa cliente munie de son seul sac à main, qu'elle se sentirait ainsi trop légère, peu sérieuse.

Alors elle s'était pourvue de cette sacoche que lui avaient offerte ses parents après l'obtention de son diplôme – ne l'avaient-ils pas même fait fabriquer tout exprès par un maroquinier de leur connaissance, dans le Gers où ils ne détestaient pas aller camper de temps en temps ?

C'était une sacoche pour avocat d'une autre époque, une sacoche pour le genre d'avocat qui faisait rêver les Susane – un homme alerte, gaillard, sportif, très occupé et grand fumeur, aimablement brouillon mais habile à classer ce qui devait l'être dans les nombreux compartiments de la belle sacoche à soufflets, sorte de médecin chic, abstrait, qui ne se déplaçait jamais sans ses instruments intellectuels.

La Marlyne Principaux qui entra dans le parloir, Me Susane la scruta avec une telle acuité que, d'abord, elle ne la vit pas.

Elle cligna des yeux, tendit vers la femme une main peu sûre.

Elle n'eut conscience, les premières secondes, que de morceaux de visage, comme des parties d'un tableau qu'on aurait proprement, soigneusement découpé en trois ou quatre fragments.

Elle eut une idée du front, lisse, plutôt court, implantation drue des cheveux blonds ternes, puis du nez bref, légèrement retroussé, puis de la bouche grande, large, pâle, lèvres molles frémissantes.

Elle ne vit pas les yeux.

Son regard avide mais sélectif se détourna d'eux.

Elle tendait une main peu sûre et sentit la main de l'autre se glisser dans la sienne avec moins de fermeté encore puis se retirer prestement – réticente, gênée, modeste ?

Se forçant à étirer les lèvres pour donner à son visage une expression souriante, Me Susane porta alors son regard vers celui de Marlyne.

Des yeux vitreux, bizarrement mobiles, d'un vert éteint, grisâtre – une mare que la pluie agite, pensa Me Susane sur-le-champ.

Comme cette femme lui déplaisait !

Marlyne Principaux était de taille moyenne.

Mme Susane, songea Me Susane, aurait dit de Marlyne qu'elle était « bien plantée » : jambes fortes et nettes dans le jean d'un noir passé, épaules larges et rondes sous le sweat Université de la Sorbonne, et des mains courtes, vaillantes, carrées.

Une robustesse, une santé replète et musclée qui troublaient Me Susane.

Cette apparence n'était pas celle de la désolation.

Mais pourquoi la maigreur, la figure hâve ou l'excès maladif de poids devaient-ils seuls incarner le tourment, l'âme endeuillée, le cœur coupable ?

Y avait-il d'ailleurs, dans cette petite pièce, une âme endeuillée, un cœur coupable ?

Comment savoir ?

Marlyne Principaux, malgré sa silhouette dodue et ferme, dure et potelée, donna à Me Susane l'impression d'un être léger, discret.

Elle se coula sur la chaise d'un mouvement rapide, silencieux.

Elle garda bien jointes sur ses cuisses ses mains laborieuses, elle arrondit son dos, serra ses genoux l'un contre l'autre.

Elle avait une queue-de-cheval de petite fille, se dit Me Susane : les cheveux jaunâtres liés d'un chouchou rose vif.

Mais comme ses yeux étaient froids !

Ou fatigués, inquiets, ce qui leur donnait l'air froids ?

Comment savoir ?

Me Susane, quelque peu intimidée, se présenta.

Marlyne hochait la tête distraitement, poliment, ses yeux glauques posés sur l'épaule de Me Susane.

Elle levait régulièrement la main droite pour remettre en place derrière son oreille une mèche qui n'avait pas bougé, entravée par le chouchou, et son geste durait néanmoins et ses doigts finissaient par gratter de manière audible la peau délicate entre la naissance des cheveux et le pavillon de l'oreille.

Avec sa permission, Me Susane enregistra leur entretien.

Me Susane posa de nombreuses questions auxquelles Marlyne répondait sans réticence manifeste mais de la façon la plus brève, de sorte qu'il semblerait à Me Susane, plus tard, qu'elle avait parlé davantage que Marlyne.

Elle serait légèrement mécontente d'elle-même et quelque peu gênée aussi d'avoir pu paraître bavarde.

« Mais oui, mais je suis bien là où je suis mais tout le monde est gentil avec moi maintenant. Mais c'était différent au début mais je le comprends bien mais je ne reproche rien à personne mais à présent je suis acceptée telle que je suis, avec mon acte, et même si c'est difficile pour certaines des femmes qui m'entourent mais je suis acceptée maintenant, oui. Mais nous ne sommes pas là pour nous aimer. Mais nous aimer les unes les autres, je veux dire. Mais les surveillantes me traitent bien également, oui. Mais je me sens bien. Mais je suis bien tranquille, oui. Mais la nourriture est excellente, je ne laisse jamais rien dans mon assiette. Mais parfois un peu tiède, oui, mais vous savez, avant, mais il m'arrivait souvent de manger tiède, mais les enfants peuvent facilement perturber votre repas (petit rire confus, presque effrayé). Mais à l'instant où je vous parle je ne souhaiterais me trouver nulle part ailleurs que dans cette maison d'arrêt. Mais je n'ai plus de maison à moi, mais tant mieux. Mais, non, notre maison du Bouscat, mais je ne l'aimais pas, mais j'en étais venue à la détester. Mais je préfère ma cellule et mon petit lit bien à moi. Mais non car je mets mes écouteurs, mais je relis les écrivains que j'aimais tant, mais je n'entends rien, mais les autres peuvent regarder la télé, mais je n'entends rien, mais je suis bien, mais l'ambiance est plaisante. Mais un petit espace comme ça, tout à moi, mais l'enclos bien précis de mon lit, mais le nid que je m'y suis fait, mais jamais je ne l'avais eu de cette qualité. Mais c'est un véritable sweet home (petit rire hésitant). Mais mon acte n'y pénètre pas. Mais il est là, dans l'atmosphère de la cellule puisque les autres y pensent mais les émanations de leurs pensées à ce sujet ne transpercent jamais les parois de ma chère petite tanière. Mais je n'ai besoin de rien, merci. Mais de la nourriture, des boissons ? Mais non mais non, je suis d'un caractère frugal vous savez et la simplicité, même l'austérité en matière d'alimentation, mais ça me va parfaitement, mais je dirais même que j'y trouve grand plaisir, oui. Mais personne ne dépend de moi. Mais je n'ai plus à penser à la satisfaction de quiconque. Mais M. Principaux appréciait la bonne chère. Mais oui, mais il aimait manger, mais il aimait le gras, la vie, le traditionnel, mais le simple fait de se nourrir sans penser à rien d'autre qu'au plaisir et il attendait de moi que je réponde à cette disposition, mais il me demandait implicitement du gras, de la vie, du traditionnel et du plaisir simple. Mais c'était difficile, oui. Mais il me fallait penser aux enfants dont je devais surveiller la croissance. Mais leur croissance devait être bonne en tout point. Mais je n'y arrivais pas. Mais je mangeais trop mais je profitais alors que M. Principaux restait sec quoique mangeant beaucoup trop. Gras, vie, gaieté, mais les saints mangent abondamment et ne profitent pas. Mais M. Principaux est un saint, oui. Mais une malédiction bien triviale pesait sur ma petite personne qui, elle, s'alourdissait à mesure que le corps de M. Principaux se faisait plus svelte, plus maigre et musclé. Mais M. Principaux, sans aucun doute, est un saint. Mais j'enfle, quant à moi, à proportion de mes insuffisances. Mais le reste de ma vie, je veux bien le passer ici, oui. Mais pourrais-je vous demander une chose, après quoi plus rien, jamais ? Mais que M. Principaux cesse ses visites, mais qu'il n'ait plus le droit de me rendre visite. Mais j'en souffre beaucoup, oui. Mais je désirerais ne plus jamais le voir. Mais est-ce possible ? Mais je suis sa femme, mais il en est bien conscient. Mais il pense avoir le devoir de me rendre visite et le droit de le faire et cette dernière occurrence suffirait à le conduire jusqu'ici quand bien même je me refuse à lui parler. Mais je ne dis plus rien à M. Principaux. Mais j'ai honte devant lui. Mais je le hais également, ce qui accroît ma honte. Mais je ne sais plus démêler. Mais je le plains, mais je le hais, mais j'ai honte devant lui comme devant Dieu. Mais non, mais je ne suis pas croyante. Mais c'est une image. Mais j'ai honte devant lui comme devant

Dieu. Mais je suis satisfaite que Dieu souffre comme je souffre. Mais il m'est très supérieur, bien entendu. Mais il souffre, semble-t-il, mais encore que. Mais demandez-lui si les enfants lui manquent. Mais je pense que les enfants ne lui manquent pas, mais je pense que, seul dans sa maison du Bouscat, il souffre et gémit mais il apprécie sa solitude et ne regrette nullement la présence véritable des enfants. Mais il s'en agaçait vite, vous savez. Mais il n'aime pas jouer avec des petits ni tellement s'adresser à eux, mais la réalité souvent triviale de l'existence quotidienne avec de jeunes enfants l'horripilait, mais il criait souvent : Lâchez-moi donc, bon sang ! Alors même que nos garçons ne l'approchaient guère, ils humaient, autour du corps de M. Principaux, une défiance hostile qui les tenait à distance, les rendait timides bien qu'avides de contacts avec papa. Mais ils galopaient autour de M. Principaux en prenant soin de se tenir hors du champ de cette hostilité. Mais ils ne le touchaient pas. Mais ils criaient : Papa, papa ! tout en courant à deux ou trois mètres de M. Principaux. Mais il aimait être père, mais pourtant, oui. Mais il disait : Je voudrais avoir une famille très nombreuse, cinq, six, sept enfants ! Mais la présence bien concrète des enfants dans sa maison l'interloquait. Que font chez moi ces petits importuns ? Mais je crois traduire assez bien les sentiments de M. Principaux. Mais il aimait être père, oui, dans le statut. Mais j'ai honte devant lui, mais je ne veux plus jamais lui parler. Mais qu'il désire encore me rendre visite, mais me comprendre et me soutenir, mais tout cela me rend haineuse envers lui. Mais pourquoi ne me rejette-t-il pas avec horreur ? Mais il est délivré, oui. Mais des enfants martyrisés, mais une épouse à défendre malgré tout, mais M. Principaux est un héros en plus d'avoir été un saint. Mais il est là, dans notre salon paisible, mais il y est seul et enfin tranquille, mais il sirote son whisky du soir, mais il souffre, mais il est bien, mais il pense à mon procès, aux articles de journaux, mais il est bien, mais il sirote, mais il prépare ses déclarations, mais il souffre d'une souffrance qui le comble et le soulage, mais il est bien, mais il n'a plus d'obligations envers personne. Mais je le comprends. Mais je ne le hais pas pour cela mais pour la tartuferie de sa posture. Mais il se caresse, maintenant, avec l'idée que je sois défendue au mieux. Mais je ne lui ai rien demandé. Mais non ! Mais je ne veux pas être défendue au mieux, mais je veux ne pas être défendue du tout. Mais je suis heureuse ici. Mais j'aimerais n'avoir plus rien à faire avec M. Principaux, mais je sais que ce n'est pas possible, mais il sera toujours le père des enfants que mon acte a… Mais je ne veux pas être défendue. Mais j'ai posé mon acte, mais je savais que je n'aurais pas la tête tranchée. Mais cet acte, mais je l'ai accompli. Mais je ne peux pas le regretter, mais ce serait indécent. Mais c'est accompli, mais je l'ai fait. M. Principaux ? Mais je suis certaine que les enfants ne lui manquent pas. Mais il est délivré, mais il souffre, il est bien. Mais il se lamente avec sincérité, mais il souffre réellement, oui. Mais il est délivré. Mais si je pouvais, grâce à vous, obtenir de ne plus me trouver face à lui au parloir. Mais c'est possible, étant sa femme ? Mais la haine que j'éprouve à son encontre, mais je ne juge pas nécessaire qu'il en prenne la mesure. Mais s'il vous plaît, mais faites qu'il ne vienne plus me voir, mais je vous en prie faites aussi qu'il ne sache pas que cela vient de moi, mais il ne serait pas bon pour lui qu'il prenne la mesure de ma haine, mais je n'ai aucun désir de le blesser. Mais c'est impossible, mais je comprends, mais vous ne pouvez pas mentir à ma place, mais je comprends. Mais alors je lui dirai, moi, de cesser ses visites. Mais le pauvre homme ! Mais je ne dirai rien contre lui, mais je n'en ai pas la permission spirituelle. Mais il souffre, mais il est bien, il sirote son... Mais je ne sais plus ce que c'était, mais whisky, cognac, gin, mais je ne me rappelle plus. Mais il est bien, seul chez nous là-bas, mais je le vois parfaitement, il... Mais il répond à des courriels où les gens le plaignent, mais il fait le courageux qui cache ses larmes mais aucune larme n'a jamais mouillé même le bord de ses yeux. Mais M. Principaux est fort, dans sa sainteté. Mais je ne dirai rien contre lui, mais je ne peux pas faire ça. Mais qui sont les victimes de l'acte ? Mais pas moi, n'est-ce pas. Mais les enfants et lui, oui. Mais il est bien, dans sa solitude. Mais il criait souvent contre nous : Fichez-moi la paix ! Laissez-moi tranquille un moment ! Mais nous prenions bien garde de nous approcher de lui seulement si nous sentions son corps détendu et son esprit prêt à recevoir le rappel de nos existences respectives. Mais nous lui fichions la paix, mais j'y veillais sévèrement et les enfants m'obéissaient. Mais pourquoi criait-il ainsi ? Fichez-moi la paix ! Mais j'étais toujours anxieuse. Mais qu'il y ait du bruit, mais du désordre, mais des contrariétés.

Mais si les enfants me manquent, à moi ? Mais je ne sais pas. Mais je préfère ne pas en parler. Mais ce ne serait pas correct. Mais j'ai posé mon acte, posé mon acte. Mais ce ne serait pas convenable de parler de mes sentiments. Mais je les ai privés de leur vie. Mais je les vois quand je dors, mais ils sont dans tous mes rêves. Mais je ne dirais pas que je geins dans mon sommeil, même si c'est la vérité. Mais il est obscène de le dire. Mais ils ne me manquent pas, non. Mais je les ai ramenés en moi, minuscules dans mon cerveau. Mais ils ont été tous les trois, dans mon ventre, de gros bébés, mais ils sont nés après le terme, mais de beaux enfants lourds et longs. Mais mon dieu, comme ils étaient costauds ! Mais à présent ils sont tout petits dans mon cerveau. Mais je ne souffre pas du fait qu'ils ne soient plus là, réellement, mais près de moi. Mais j'ai volé leur vie, mais ils ne voulaient pas mourir. Mais Jason a lutté. Mais j'ai lutté avec lui mais ce n'est pas l'ange qui l'a emporté mais c'est moi, mais sa mère aimante. Mais comme j'aimais mon fils aîné ! Mais j'avais escompté qu'il ne lutterait pas, que la volonté de sa mère jugulerait ses réflexes de survie. Mais nous nous sommes battus. Mais je crois qu'il a crié ou tenté de le faire, mais je ne sais plus très bien. Mais j'ai fermé les yeux. Mais oui, mais j'ai fermé les yeux. Mais son regard à l'instant où... mais où il comprenait qu'il mourait, mais je ne l'ai pas vu me semble-t-il. Mais John, lui, ne s'est pas débattu, mais je ne crois pas. Mais je l'ai enfoncé doucement dans l'eau mais ses muscles se sont relâchés presque aussitôt, comme quand je le massais le soir après la lecture, mais il est devenu mou mais tendre mais conciliant. Mais il me semble, mais oui. Mais c'était un petit garçon si docile, mais si confiant, mais si avide de bien faire. Mais il a acquiescé à l'acte, oui. Mais il ne s'est pas opposé à sa maman, mais il avait toujours aimé lui faire plaisir. Mais sa maman, là, mais c'était moi mais je devais accomplir mon acte, mais John m'a aidée et cela n'a pas été difficile. Mais je l'ai aidé de mon côté. Mais je lui parlais tout le temps que ça a duré, oui, mais je lui murmurais des mots d'amour. Mais oh je ne sais plus exactement. Mais les mots habituels : mon chéri, mon loulou, mon petit, mais ces petites appellations que j'employais plus souvent que leur prénom quand je m'adressais à eux. Mais cela irritait M. Principaux. Mais il trouvait ça mignard, mais ridicule, mais puéril. Je veux dire, car il trouvait ça mignard, ridicule, puéril. Mais il n'aimait pas, non. Mais il les appelait toujours par leur prénom. Mais quant à Julia, mon bébé... Mais je lui donnais le sein, mais elle l'a pris avec joie mais j'en ai ressenti fierté et soulagement, mais reconnaissance aussi. Mais, non, pas mais : car je me sentais terriblement meurtrie quand, le sein, elle le prenait avec réticence ou pire encore le refusait. Mais c'était une servitude pour moi d'allaiter encore mon bébé après six mois, mais je ne pouvais pas faire autrement, mais vous comprenez, oui, mais j'avais allaité ses frères durant vingt-quatre mois, mais cela avait été une excellente chose pour eux, mais ils étaient sains et beaux, mais je devais faire de même avec Julia qui avait les mêmes droits à la santé et à la beauté, mais de sorte qu'elle a pris le sein goulûment ce jour-là et j'ai ressenti de la gratitude en même temps que je la suppliais par avance de me pardonner. Mais je ne dois pas dire ça ? Préméditation ? Mais je ne veux pas être rachetée par vous. Mais je me moque de la peine qui m'attend. Mais je suis bien dans mon petit nid. Mais, oui, mais je voudrais que vous me laissiez maintenant. Mais je suis fatiguée. Car je suis fatiguée, je veux dire. Mais je ne veux pas que vous me mettiez déjà en garde pour m'éviter le pire. Mais le pire, qu'est-ce que c'est ? Mais je n'aurai pas la tête tranchée. Mais de quoi s'agit-il ? Mais qu'on me condamne à vingt ans ? Mais je ne veux pas que vous empêchiez cela. Mais je ne vous demande rien. Mais c'est lui qui vous a fait venir, mais c'est M. Principaux. Mais je ne veux rien, mais je suis bien. Mais laissez-moi à présent, oui, merci. Mais merci, oui (Me Susane, dans un mouvement ferme et amical, avait saisi les épaules de Marlyne par-dessus la petite table, elle avait pressé à travers le tissu moelleux du sweat les muscles contractés de cette femme qui lui inspirait effroi et animosité et Marlyne Principaux s'était calmée, elle n'avait plus parlé d'interrompre l'entretien ni ne s'était de nouveau plainte d'être fatiguée). Mais il les aurait amenés à me mépriser, mais bien sûr. Mais à rire de moi, vous voyez. Mais pourquoi ? Mais il n'avait pas d'estime pour moi. Mais il riait de moi, oui, puis il prétendait m'aimer. Mais il n'avait pas de réelle considération pour Marlyne. Mais je l'avais déçu, oui. Mais je suis terne. Mais je suis une femme plutôt ennuyeuse, vous savez. Mais je n'étais pas, je crois, une enseignante ennuyeuse. Mais les élèves m'aimaient bien, oui, mais je crois. Mais M. Principaux n'était pas mon élève, mais je n'avais rien à lui apprendre. Mais il devait me trouver tellement rasoir ! Mais il riait de moi, mais d'un rire amer. Mais la joie que j'avais éprouvée dans l'enseignement, mais il la dénigrait, mais il la trouvait absurde, impossible, mais il se fâchait mais disait que j'avais travaillé dans l'illusion. Mais il disait : Ton collège de crotte, mais il disait encore : Tu en fais trop, mais il disait aussi : Ils vont te tuer. Mais je pensais, moi : si quelqu'un me tue sur cette terre, mais c'est M. Principaux. Mais je me disais : mes chers élèves me protègent du meurtre lent auquel me soumet la vie aux côtés de M. Principaux, j'aime mes élèves et je n'aime pas M. Principaux. Mais j'avais honte alors. Mais je ne pouvais rien reprocher à mon mari. Mais à ma mère, mais à mes sœurs je vantais ses qualités, mais j'avais honte. Mais je ne savais pas comment faire pour sortir de tout ça. Mais... mon bonheur à la naissance de Jason ! Mais j'ai eu de la gratitude pour M. Principaux qui était, mais vous le savez, mais un bel homme, mais je ne suis pas une belle femme mais Jason s'est révélé être un enfant splendide. Mais je ne suis pas une belle femme mais tout comme vous. Mais, non, mais bien sûr. Mais M. Principaux ne m'a pas choisie pour cela, mais il a eu du mérite d'aimer, mais de conquérir une femme qui ne pouvait, mais sur tous les plans, mais que le décevoir. Mais pas sur le plan de la maternité. Mais j'ai été, mais il vous le dira, mais une excellente mère. Mais tout le monde s'accorde là-dessus. Mais je ne sais pas qui est tout le monde, mais nous ne voyions presque personne, mais c'est vrai. Mais les institutrices, non ? Mais elles ne vous ont pas dit que j'étais une mère qui frôlait la perfection ? Mais les amis mais les collègues de M. Principaux qui sont venus à la maison ? Mais ils ne vous ont pas dit ça ? Mais ma mère et mes sœurs, mais elles ne vous l'ont pas confirmé ? Mais vous ne les connaissez pas, mais que vont-elles vous dire maintenant qu'elles sont prévenues contre moi ? Mais c'est M. Principaux que j'aurais voulu extirper de mon destin mais ce n'était pas possible. Mais ce n'était pas possible. Mais il m'avait liée à lui. Je veux dire, car il m'avait liée à lui et je ne pouvais défaire ce nœud, cette entrave qu'en... Mais je ne pouvais pas assassiner M. Principaux, n'est-ce pas (petit rire se voulant sardonique mais effaré, grêle, pitoyable). Mais on ne peut pas tuer M. Principaux, même en imagination. Mais on ne peut pas quitter M. Principaux, même en rêve. Mais si, à vrai dire, mais en rêve on peut s'en aller, mais abandonner tout ça, mais M. Principaux, les enfants, la maison, mais tout ça quoi, mais toute cette vie. Mais dans la réalité, mais non, non, non. Mais non, non, vous comprenez. Mais il m'aurait broyée, mais il m'aurait anéantie, mais il aurait dressé, éduqué les enfants contre moi. Mais, non : car il avait pour cela des armes qui m'étaient étrangères. Mais je ne sais plus ce que je dis vraiment. Mais je le sais en gros mais pas en finesse, en détail. Mais je ne veux pas charger M. Principaux qui se retrouve, de par ma faute, dans une situation atroce mais je vous demande, Maître comment déjà ? Me Susane, pardon, mais je vous demande d'effacer de votre mémoire et de votre enregistrement tout ce qui a pu m'échapper d'acrimonieux envers M. Principaux. Mais envers Gilles, oui, si vous voulez. Mais je n'ai pas le droit, Gilles, de lui faire son procès (petit rire). Mais je n'ai pas le droit d'incriminer ce pauvre Principaux, n'est-ce pas ? Mais les enfants... mais les enfants... mais où sont-ils maintenant ? Mais ils voulaient toujours ce que voulait maman, mais ils craignaient de me déplaire, mais de me faire de la peine. Mais où sont-ils ? Mais je crains que les pensées de M. Principaux n'attirent vers lui leurs pauvres petites âmes, mais ne les rallient à lui, mais à... mais à sa mauvaise façon de considérer toute chose. Mais c'est M. Principaux que j'aurais dû noyer dans l'eau crasseuse de son bain. Alors que je l'ai délivré d'un poids, mais oui. Mais ce n'est pas ce que je souhaitais. Mais M. Principaux est devenu une figure tragique, non ? Mais ce n'est pas ce que je souhaitais. Mais il me dit que nous serons de nouveau ensemble après. Me... Me Susane, pardon, mais dites-lui je vous prie que je ne veux plus rien avoir à faire avec lui, ni à présent ni après. Mais dites-lui que je le hais. Mais dites-lui que... »

Marlyne, alors, de tout son être se mit à trembler.

Et ses lèvres frémissaient et ses paupières vibraient, et sa main droite tentait de contenir les trépidations de la main gauche cependant que ses cuisses musclées, courtes et nerveuses palpitaient comme au terme d'une épreuve sportive.

Me Susane se leva, contourna la table, s'approcha au plus près du corps tressautant de Marlyne.

Elle se voyait posant son bras sur les épaules de Marlyne, penchant la tête, murmurant des mots vagues.

Elle ne put la toucher.

Elle l'avait étreinte tout à l'heure, lui semblait-il.

Alors quoi ?

Elle voyait son bras se tendre vers Marlyne.

Elle sentait bien toutefois que son bras ne bougeait pas, elle le voyait comme elle aurait aimé que se déroulent les choses mais elle savait sans aucun doute que c'était bien elle, Me Susane, qui demeurait glaciale et muette, pétrifiée et profondément, irrévocablement réprobatrice devant la chair hoquetante de cette femme qu'elle était incapable de seulement effleurer.

Me Susane, songea-t-elle, ne devait pas se comporter ainsi.

Elle se força à soulever son bras, elle crut l'avoir fait.

Une fois de plus elle se vit enlaçant Marlyne, lui tapotant le dos comme le ferait, même formellement, même avec dégoût, toute avocate avec sa cliente.

Mais elle ne pouvait bouger, ses bras étaient raides le long de son torse et, elle le sentait, son visage figé dans une banale et froide expression d'inimitié.

Elle était occupée, le lendemain, à transcrire les propos de Marlyne quand Gilles Principaux se présenta au cabinet.

— Quel froid ! s'écria-t-il en se frottant les mains comme, se dit-elle, un « personnage », une figure de série que Gilles Principaux aurait été condamné à interpréter contre sa volonté et contre tout talent qu'il aurait eu en ce domaine.

Il répéta d'une voix légèrement inquiète, ses mains se frictionnant machinalement :

— Quel froid, non ?

Il tendit à Me Susane des doigts longs et fins, peau pâle mais d'un rose soutenu à l'articulation des phalanges.

De telles mains lui rappelaient-elles quelque chose ?

Elle lui trouva mauvaise mine.

Elle le lui dit peut-être, feignant la sollicitude, ou simplement le pensa et se figura le lui dire en jouant la sollicitude.

Comme son visage était bizarre, peu plaisant !

Le visage du garçon de Caudéran, Me Susane n'en avait aucun souvenir précis malgré les efforts de remembrance qu'effectuait jour et nuit son esprit fiévreux.

Aurait-elle pu, se demandait-elle mal à l'aise, avoir aimé, apprécié un tel visage, avoir souhaité briller devant lui et recevoir les éloges d'un garçon dont les traits deviendraient ceux, barbouillés, indistincts, si communs de Gilles Principaux ?

Comment aurait-elle deviné, si jeune, que cet adolescent était voué à devenir un homme terne, un homme sans mérite particulier, indigne de cette enfant de dix ans qui mettrait toute sa trempe dans l'action de l'éblouir et perdrait pour cela l'amour simple de son père, la confiance spontanée, sans embarras, de ses parents ?

N'avait-elle pas, dans cette chambre, offert tout ce qu'elle avait à offrir, *à saccager* ?

Sa dévotion avait été sans calcul, sans prudence.

Et le garçon de Caudéran l'avait séduite ainsi : dépose entre mes mains ta foi brumeuse en l'existence car je suis amené à devenir quelqu'un d'exceptionnel. Je te soumets, je te garde, je te convaincs même si tu regimbes. Et tu en seras heureuse, tu en seras flattée a posteriori quand tu découvriras celui qui en moi sera advenu.

Mais ce Principaux, avec son œil morne, sournois, rusé, presque stupide !

Elle lui offrit un café, il se laissa tomber dans l'un des deux fauteuils placés devant son bureau.

Qui était Principaux pour elle ?

Cet œil fade, était-ce son œil vrai ou son œil de faux-semblants, de bonhomie sociale, son œil trompeur ?

Elle le scrutait, le regardait avec une acuité furieuse qui, pensait-elle, aurait dû l'alarmer, lui, quant aux liens anciens qui peut-être les unissaient.

Mais il ne bougeait pas.

Et Me Susane eut alors l'impression que Gilles Principaux ne se souciait aucunement d'elle, qu'elle n'était pour lui que l'instrument bon marché, facile, d'une défense plus ou moins efficace de sa femme.

Cet homme, lui sembla-t-il douloureusement, ne la reconnaissait pas.

— Vous l'avez rencontrée, qu'est-ce qu'elle vous a dit ? lui demanda-t-il d'une voix à la fois dure et douce, impérieuse et feutrée.

— Elle m'a fait le récit des événements, dit Me Susane sèchement.

— Mais qu'est-ce qu'elle vous a raconté ? J'aimerais tellement le savoir, elle ne me dit rien…

Comme Me Susane demeurait silencieuse, Principaux

se jeta dans sa propre narration, agité, gauchement séducteur, si troublé néanmoins qu'un filet de salive gouttait à son menton et se balançait au rythme de ses propos sans qu'il en eût conscience.

— Je vous assure que nous étions heureux, affirma-t-il d'une voix ostentatoirement énergique, heureux comme il est difficile de l'être aujourd'hui. Il nous arrivait de prendre dans notre lit les trois enfants le dimanche matin, le grand Jason qui apprenait à lire et se montrait très fier de ses progrès, le petit John qui écoutait son frère et le bébé Julia qui gazouillait avec cet enthousiasme typique de l'après-tétée, oui nous étions tellement heureux tous les cinq dans ce nid d'amour qu'était notre lit. C'était, oui, je dois l'avouer, le paradis : nous et les petits dans le lit bien chaud cependant que la pluie battait aux fenêtres. Je lisais, Marlyne racontait des histoires aux enfants, babillait et riait avec eux, nous étions heureux, oui, en paix, contents et fiers d'avoir atteint nos objectifs. Nos objectifs ? Eh bien, de fonder une famille nombreuse sans que quoi que ce fût nous obligeât à le faire, au contraire. Nous nous opposions radicalement au jugement de nos parents respectifs en la matière. Marlyne allait bien, oui, elle était heureuse. Elle ne cessait de parler des enfants, elle m'assurait qu'elle s'était, « en tant que femme, découverte » – en tant que mère de famille, quoi. En ce qui me concerne je n'en étais pas certain. Je préfère la vie sans enfants, je vous l'avoue. Les enfants, je n'aime pas tant que cela leur compagnie, je m'ennuie vite, je ne comprends pas trop ce que je fais avec eux. Mais ces trois-là, Jason John Julia, je les aimais énormément ! Il faut me croire, j'avais pour eux un genre d'amour que je n'avais jamais ressenti, tendre, tolérant, je dirais même infini –

oui, nulle borne à mon amour pour eux, vous voyez. J'aimais les prendre dans mes bras, respirer leur odeur d'herbe fraîche ou humide quand ils avaient joué dehors le dimanche après-midi, j'aimais aussi l'amour simple qu'ils avaient pour moi. Oui, j'étais leur papa chéri, aucun doute là-dessus. Nous étions heureux. J'étais, je crois, un papa idéal. Car ils m'aimaient et me craignaient avec la même acuité. Quand ils m'aimaient, c'était sans le moindre souvenir de la séance pénible que nous avions pu avoir la veille, rapport à une bêtise, une désobéissance que nous leur aurions reprochées, voire une déception dont nous aurions été victimes. Vous le savez sans doute, on souffre si vite des violations que font nos enfants adorés des codes de l'amour familial. C'est pourquoi j'ai voulu qu'ils puissent me craindre tout autant qu'ils m'aimaient. Et comme de braves chiens ils pouvaient à la fois m'aimer et me redouter, m'aimer le jour en ayant tout oublié des rancœurs de la nuit. Chaque matin j'étais pour eux un père neuf, un père vierge. Oui, j'étais un père aimé et aimant, je crois que je peux l'affirmer sans prétention. Un père, cependant, qui aurait préféré ne jamais l'être. J'aurais aimé être un homme sans descendance. Non, je ne l'ai jamais dit à Marlyne, non, non. Elle voulait des enfants, n'est-ce pas ? Elle dit le contraire maintenant, je ne veux pas me disputer avec elle à travers vous qui la représentez, je m'incline devant ce qu'elle affirme, je ne conteste rien. Permettez-moi simplement de déclarer que divers indices, dont des phrases très claires à ce sujet, avaient pu me faire penser sans aucun doute que Marlyne rêvait d'une famille nombreuse. Et elle avait raison ! Car, nous deux… Quel sens aurait eu notre attelage, notre appariement hasardeux sans les enfants ? Sans le projet de fonder une belle, une exemplaire tribu, de créer une lignée ? Qu'est-ce que nous avions en commun, Marlyne et moi ? Rien du tout, rien du tout. Nous ne nous sommes jamais aimés, je veux dire sentimentalement, absolument, romantiquement. Oh je l'aime, si ! J'aime encore la mère de mes enfants, bien que… J'aime ma femme, elle est ma femme et je me suis engagé auprès d'elle, j'ai des devoirs envers elle, elle est ma femme pour le meilleur et pour le pire. Nous vivons le pire, c'est ainsi. Je l'aime, je ne l'abandonnerai pas, je l'aime peut-être plus et mieux qu'avant. Mon amour est sacré, inébranlable. Non, nous ne nous aimions pas profondément quand nous nous sommes rencontrés, quand nous avons eu les enfants. Nous étions liés de manière lâche. À présent nous sommes liés tragiquement. J'aime cette Marlyne effroyable, je ne la comprends pas bien, je ne peux pas la haïr cependant. J'aime ma femme, voilà, quelle qu'elle soit. Je me reproche tant de choses ! Je l'aime mieux qu'avant, oui. Elle était une personne ordinaire. Elle est devenue une héroïne ténébreuse. Je suis surpris. Je ne l'avais jamais imaginée comme ça. Je suis surpris. Elle est étrange. Effroyable, oui. Mais je l'avais crue quelconque, je m'étais trompé. Je me reproche tant de choses ! J'aurais dû insister pour qu'elle retourne travailler après la naissance de Jason. Je ne l'ai pas fait, je pensais que… qu'elle était bien, qu'elle était soulagée… Je n'aimais pas son collège de Pauillac. Si elle l'aimait, elle ? Oui, sans doute, elle le disait en tout cas. Mais était-ce un bon endroit pour elle, je n'en suis pas convaincu. Élèves au niveau médiocre, collègues blasés, ironiques ou désemparés, et cette longue route qu'elle devait effectuer depuis Bordeaux… Elle prétend que je lui ai interdit de reprendre son travail. Qui étais-je pour lui interdire quoi que ce soit ? C'était une femme indépendante, intelligente, capable de peser ses opinions et celles de son mari sur une balance honnête. Elle pouvait prendre les décisions qu'elle estimait les meilleures, je ne m'y serais pas opposé. Jamais, jamais je n'ai crié sur Marlyne. Jamais je ne l'ai grondée, humiliée, bafouée. Je n'étais pas le chef de notre bonne petite équipe. Nous étions deux associés, à parts égales, dans l'entreprise à but non lucratif que constituait notre famille. Mais je suis bien obligé de me faire des reproches. Comment en sommes-nous arrivés là ? J'y pense jour et nuit, vous savez. Mes rêves sont pleins d'enfants. Marlyne et moi, nous aimions faire l'amour ensemble. Nous étions bien assortis. Nous étions tous deux pudiques mais ardents. Il nous fallait l'obscurité. Nous nous sentions gênés dans la lumière, chacun portant sur son propre corps un jugement sévère. Je souffre depuis l'enfance d'une maladie de peau. J'en éprouve une grande honte bien que je ne sois pas en faute. Je me vois plus laid que je ne le suis certainement puisque Marlyne m'a désiré, aimé. Elle m'a caressé sans dégoût. Oui, Marlyne est la seule femme avec laquelle j'ai eu des relations sexuelles complètes, comme on dit. J'avais peur de mon corps, de son aspect – ma peau rouge, sèche, écailleuse. Mais quoi ? Rien de si terrible en fin de compte. Marlyne m'a caressé, elle a eu envie de frotter cette peau grenue, râpeuse, cette pauvre peau souffrante contre la sienne, elle s'en est trouvée bien, sa jouissance n'a jamais été simulée. Ou si, peut-être ? Je ne sais pas. Je ne crois pas, non. Ce n'est pas mon impression. Nous avions une bonne vie sexuelle, légère, gentille. Rien de compliqué. Marlyne était tantôt mince tantôt ronde, je ne sais plus vraiment. Cela m'était indifférent. Comment vous dire ?

Je faisais l'amour avec elle, avec sa personnalité de Marlyne, avec ma femme. Je ne saurais pas vous décrire son corps. Et après ? Tous les corps de ma femme me convenaient. C'est une faute ? C'est une qualité ? Ah mais je m'en fiche complètement. Mon propre corps, je ne peux pas le décrire. Je ne l'aime pas, il change, je ne veux rien en savoir. J'aimais le corps de ma femme quel qu'il soit car c'était son corps à elle, ma femme, et que j'aimais faire l'amour avec Marlyne, avec cette femme-là précisément qui s'appelait Marlyne et dont le ventre avait abrité mes enfants. Je ne demandais pas à ce corps de Marlyne de me plaire davantage que le mien ne me plaisait. Je ne le regardais pas, cela ne m'intéressait pas. Mais quand nous nous enlacions, chacun ayant ôté son pyjama, tous les deux nus sous notre couette remontée jusqu'au cou, nous étions bien et qu'importait alors la forme ou l'aspect de nos chairs respectives. Nous étions bien car nous nous connaissions bien. Comment en sommes-nous arrivés là ? Marlyne était une mère inégalable, vous savez !

Gilles Principaux sortit un mouchoir de sa poche, il s'essuya les yeux.

La chaise retenait difficilement, sembla-t-il à Me Susane, le corps de Gilles que le chagrin affaissait, liquéfiait.

Elle se tenait aux aguets, prête à bondir pour l'empêcher de tomber.

Elle se découvrait émue au-delà de ce qu'elle avait estimé acceptable et décent d'éprouver à l'endroit de Principaux.

C'est pourquoi, rancuneuse, presque vindicative, après un long silence qui aurait paru anormal et, de ce fait, embarrassant à quiconque se jugeant sain d'esprit mais qui ne parut pas troubler Principaux, elle lui demanda, d'une voix basse, étouffée :

— Monsieur Principaux, est-ce que vous m'avez connue, autrefois ?

Il ne comprit pas ou feignit de ne pas comprendre.

Il fronça les sourcils, presque ennuyé déjà, puis les haussa en feignant poliment l'intérêt.

— Monsieur Principaux, nous sommes-nous rencontrés quand j'étais enfant ? Quand j'avais une dizaine d'années et vous quatorze ou quinze ? Est-ce que, si cette rencontre a eu lieu, vous vous souvenez de moi ?

Me Susane posa sur son bureau, sans honte, ses mains qui tremblaient.

Elle les entrecroisa posément, ne voulant pas dissimuler qu'elle les joignait pour les empêcher de trembler.

— Vous vous souvenez de moi ? répéta-t-elle.

— Je n'en sais rien, dit Principaux.

Puis, agacé :

— Mais, enfin, quelle importance... ?

— C'est très important, dit Me Susane, ne le prenez pas de haut, je vous prie.

Il eut un sourire confus sans que Me Susane pût déterminer si l'étrangeté de la situation l'embarrassait sincèrement, s'il trouvait cette Me Susane inquiétante pour des raisons qui ne le concernaient nullement ou si, peut-être, dans l'éclat sombre des yeux de Me Susane il revoyait quelque chose – mais quoi, quoi d'émerveillé ou de terrifié, de radieux ou d'effaré, quoi donc alors ? se demandait-elle.

— Je ne vous comprends pas, je ne sais pas de quoi vous parlez, dit Principaux d'une voix épuisée. Ce qui compte, là, c'est Marlyne, c'est ma femme. Pourquoi devrais-je me souvenir de vous ? Je ne comprends vraiment pas.

— Essayez quand même, faites un effort !

Me Susane, se sentant affreusement lâche, émit un petit rire pour amoindrir, pour dénaturer et dépraver l'intense sérieux de son propos.

Il se détendit imperceptiblement.

— Mais pourquoi voulez-vous absolument que je fasse cet effort ? Que nous nous soyons déjà rencontrés ou non, qu'est-ce que ça peut faire ?

— Alors pourquoi m'avez-vous choisie comme avocate pour votre femme ?

— Je ne sais pas... C'est le hasard... Il nous fallait bien quelqu'un, non ? Ça aurait pu être n'importe qui d'autre, je suis tombé sur votre nom, voilà.

Il soupirait d'ennui, écartait légèrement les bras pour souligner l'inanité d'une telle conversation.

— Vous ne faites pas grand-chose pour établir une relation de confiance, dit-il sur un ton d'ironie appuyé. Vous êtes un peu bizarre.

— Je suis devenue bizarre à l'âge de dix ans.

Me Susane souriait généreusement, renversée sur son siège.

Principaux, d'abord hésitant, lui répondit d'un sourire qui tâchait vaillamment et peut-être gentiment d'être à la hauteur du sien.

Qu'y avait-il au cœur du cœur de Principaux ?

Qui était, pour elle, cet homme au regard soucieux, aux traits banals ?

L'impression violente qu'elle avait éprouvée quand Principaux était entré pour la première fois dans son bureau, cette impression qu'elle l'avait connu jadis à

Caudéran et que cette unique mise en présence, cette singulière bataille avaient engendré « Maître Susane », elle ne la retrouvait pas.

Il était là, devant elle, un corps mort pour sa mémoire.

Pourquoi accordait-elle encore une si grande confiance à cette première, fugitive, filandreuse impression, pourquoi lui semblait-il qu'elle devait s'y tenir comme au témoignage de sa loyauté envers la fillette d'alors, quand bien même celle-ci, la petite Susane, n'eût subi aucun mauvais traitement dans la chambre de Principaux ?

Puisque le garçon, elle en était presque sûre, ne lui avait rien fait de mal, rien fait à quoi elle n'eût consenti, à quoi elle n'eût peut-être même aspiré.

Qui serait-elle devenue sans cela ?

Peu de chose, peu de chose…

Elle ressentait pourtant une sorte de haine – envers tous les Principaux, tous les membres de cette famille.

Elle se secoua, s'obligea à lui offrir un café qu'il accepta, lui sembla-t-il, avec soulagement, comme assuré d'avoir traversé à bon compte un instant désagréable.

Il souriait dès qu'elle posait les yeux sur lui.

Il était tel que les journalistes l'avaient filmé : allègre et sourdement inquiet, excessivement souriant et pourtant sur la défensive.

Aucune de ses attitudes n'était adéquate.

Il paraissait à Me Susane à la fois naïf et artificieux, roué et candide.

Elle en était déconcertée.

Car elle ne le comprenait pas.

Elle posait sur le bureau la tasse destinée à Principaux quand le téléphone sonna, la ligne fixe dont elle n'usait presque jamais.

Elle reconnut la voix de sa mère, Mme Susane, lointaine, comme amortie par la tristesse et les regrets, une voix secrète, outre-tombale :

— C'est moi, ma chérie, je t'appelle au bureau, excuse-moi, mais je n'arrive pas à te joindre sur ton portable, je ne te dérange pas trop ?

— Non.

— Écoute... Je m'en souviens maintenant... Tu m'entends ?

— Oui oui.

— Ah très bien. Ces gens de Caudéran chez qui je t'ai amenée quand tu étais petite, je me souviens de leur nom, ça m'est revenu tout d'un coup...

— Oui ?

Me Susane, bouleversée, écarta le combiné de son oreille.

Principaux, comme un enfant, soufflait sur son café pour le refroidir.

— Tu es là ma chérie, tu m'entends ?

— Oui !

— Ils s'appelaient Majuraux, comme le vin tu sais mais ça ne s'écrit pas tout à fait pareil. Pas Principaux, Majuraux. Je m'en souviens à présent.

— Tu es sûre ? souffla Me Susane. Vraiment sûre ?

Sa mère demeura si longuement silencieuse que Me Susane, alarmée, la relança :

— Maman, tu es là ?

— Oui.

— Tu es sûre de ce que tu me dis ? Vraiment sûre ?

— Non mais... presque. Je dirais, tu vois : à soixante pour cent.

— Ah.

— Pour être honnête, ma chérie, pour être scrupuleuse… je m'arrêterais à… vingt-cinq pour cent de certitude que ces gens s'appelaient ainsi, Majuraux, et pas avec un e mais a-u-x.

— Maman, enfin !

Me Susane adressa à Principaux, qui avait levé le nez de sa tasse avec un air légèrement interrogateur, un large sourire rassurant.

Il le lui renvoya, mécaniquement : vaste denture, pommettes marquées, œil tremblant.

— Maman, soupira Me Susane, à quoi bon me dire ça si tu en es si peu certaine ? Tu me chavires sans que je puisse rien faire d'une information aussi vacillante, tu comprends ?

— Oui, ma chérie, pardon, je dois raccrocher maintenant, ton père arrive. Note bien : Majuraux, a-u-x. Il y a le vignoble Majureaux, avec un e, mais ça n'a rien à voir, ce sont deux familles différentes. Il me semble bien, à y repenser, que nous sommes allées chez les Majuraux. Je crois que je n'ai jamais rencontré de Principaux, encore que, comment être sûre, n'est-ce pas, après si longtemps ? Majuraux, pourtant, oui, je crois, ma chérie. Sans garantie, hein ! Je te quitte, ton père arrive, tu sais comme ces histoires l'exaspèrent. À proprement parler, oui, elles le rendent fou… Adieu ma chérie, adieu…

Le 30 janvier, un mercredi matin, grâce à l'entremise de Me Susane, Rudy et la petite Lila firent la connaissance de Sharon, dans l'appartement de Me Susane où il était plus ou moins convenu que Sharon garderait Lila jusqu'au soir.

Rudy avait proposé un tarif forfaitaire que Me Susane avait transmis à Sharon.

Sans l'avouer à Rudy, elle avait néanmoins augmenté le prix, non qu'elle trouvât trop basse la somme offerte par Rudy (dans ce cas, d'ailleurs, elle le lui aurait dit sans gêne, se serait même indignée vivement) mais son désir était énorme, fébrile, inexprimable de voir Lila gardée par une Sharon satisfaite, contente de son sort, voire secrètement ravie d'une telle aubaine.

Me Susane, dès la naissance de Lila, s'était prise pour celle-ci d'un amour doux, mélancolique et gai.

Elle n'aurait pas désiré être la mère de Lila ni de qui que ce fût.

Il lui allait fort bien de n'être jamais, sur cette terre, la mère de personne.

Qu'une autre femme eût enfanté l'exquise Lila et qu'elle, Me Susane, œuvrât discrètement, sereinement au bonheur de sa filleule en esprit lui convenait idéalement.

Elle savait bien que son affection infrangible pour Rudy avait influencé, voire déterminé sa tendresse envers Lila, qu'elle avait eu envie d'aimer et de protéger Lila parce qu'elle se souciait du bonheur de Rudy même si, parfois, elle s'en défendait.

Il lui avait toujours semblé que la dégringolade de Rudy dans le malheur, dans la déconfiture puis la ruine aurait conduit à son naufrage à elle, Me Susane, bien qu'il n'y eût aucune raison logique à un tel enchaînement sinon qu'ils venaient tous deux du même monde.

Il lui importait, ô combien, que Rudy fût tranquillement, gentiment prospère, qu'il fleurît et crût en richesse et en félicité : ils étaient, lui et Me Susane, deux vases communicants, et si Rudy devait échouer au travail comme dans sa vie d'homme, Me Susane avait le sentiment qu'elle en subirait les fatales répercussions, que les eaux tumultueuses dans lesquelles il lutterait déposeraient chez elle une boue dont elle ne pourrait se dégager.

Ils étaient, lui semblait-il, enchaînés comme les complices d'un brigandage – celui de s'être extraits, discrets, farouches, ambitieux et individualistes, d'un milieu dont ils ne tenaient nullement à se prévaloir sans toutefois le renier ni en avoir honte.

Ni l'un ni l'autre ne se feraient le porte-parole de leur famille.

Ils étaient seuls, réservés, voire secrets avec leurs collègues quant à leurs origines prolétaires – cependant secrets de façon neutre et froide, sans qu'il fût possible de déceler chez eux (ils en étaient tous deux certains) l'ombre d'un sentiment d'infériorité.

Mais si Rudy s'enlisait...

Me Susane avait à cœur de voir en Lila une manifestation de la réussite de Rudy, de son accession à quelque chose de beau, de sérieux et d'ancien d'où personne ne pourrait le déloger.

Car la mère de Lila venait d'une vieille famille de Saint-Émilion.

Rudy, ainsi, sans l'avoir prémédité, s'implantait.

Il avait plu, séduit, il avait conçu.

Son enfant avait pour grands-parents des gens qui avaient commandé à son père à lui, Rudy.

Il s'était élevé par la seule puissance de sa délicatesse, de sa courtoise virilité, de sa semence fructueuse.

Et que Lila, par hasard et par chance, ressemblât à Rudy physiquement confortait Me Susane dans son affection pour cette petite fille.

Ses propres parents, M. et Mme Susane, s'étaient pris pour Lila d'un amour saugrenu.

Ils l'aimaient, oui, comme la fille de leur fille et ils observaient un silence courroucé, antagoniste, sceptique quand Me Susane devait leur rappeler que Lila avait une mère qui n'était pas elle, Me Susane, et que cette mère, en dépit de ses défaillances (selon Rudy), avait encore tous ses droits quant à l'éducation de Lila, qu'elle pouvait aimer Lila et prendre soin d'elle d'une façon que réprouvaient les Susane mais que cela ne les concernait en rien, eux qui ne seraient jamais que des grands-parents de relève.

En effet, oui, M. et Mme Susane avaient toujours admis cette évidence, cet état de fait, avec la plus grande difficulté, avec une affliction obtuse, boudeuse qui décourageait les efforts de Me Susane pour les ramener à la raison.

De sorte que, lorsqu'elle acceptait de s'en souvenir, elle devait bien s'avouer qu'elle avait parfois renoncé à les détromper, à lutter contre leur croyance brûlante, sombre et muette qu'elle était la seule, la juste, la vraie mère de Lila.

Voire la mère biologique de Lila, étaient-ils tout près de penser selon Me Susane.

N'avaient-ils pas fait, à ce propos, quelques allusions censément plaisantes, frappées d'un humour cynique dont leur nature n'avait guère l'habitude ?

N'avaient-ils pas lancé, quand ils avaient appris la naissance de Lila (par qui, Me Susane ne s'en souvenait plus. Par Rudy directement, par elle-même, par les petites annonces de *Sud Ouest* ?) :

— Tu nous rends visite si rarement que tu aurais pu

être enceinte et accoucher sans qu'on s'en rende compte ! Tu nous dis que Rudy a une relation avec une autre femme, nous on n'en sait rien. On ne l'a jamais vue, cette femme-là ! Cette clerc de notaire, soi-disant.

Ils plaisantaient avec une sorte de fureur indignée et comme stupéfiés tout autant que révoltés d'avoir à persifler sur un tel sujet.

Pourquoi Lila n'était-elle pas tout simplement l'enfant de leur fille unique et de Rudy qu'ils avaient considéré comme leur gendre, pourquoi tout devait-il être tordu, frustrant, innommable ?

Me Susane avait balbutié, choquée d'une telle injustice :

— Mais je viens vous voir très souvent, pourquoi dites-vous que vous me voyez rarement…

— Tu passes en coup de vent, on ne se rappelle même pas que tu es venue. Si bien que ce qui est pour toi « très souvent » devient « presque jamais » dans notre souvenir. Après, hein, avait ajouté Mme Susane avec hauteur, tu peux toujours nous mettre ton agenda sous les yeux avec « visite aux parents » coché dix fois par mois, ça ne changera rien à ce qu'on ressent et c'est bien ça le plus important, n'est-ce pas ?

Il semblait que M. et Mme Susane fussent passés de l'impression amère que Me Susane les négligeait à la conviction non moins douloureuse mais autrement farfelue qu'elle avait mis au monde, clandestinement, la fille de Rudy et que, pour des raisons qui échapperaient toujours à leur entendement, à leur compréhension, à leur pardon, elle leur mentait à ce propos.

De cette extravagante certitude, ils n'en démordraient jamais, se disait Me Susane.

Même une preuve par l'adn, qu'elle se garderait bien de leur apporter, se refusant à les suivre dans leur folie, ne les extirperait nullement de cette dernière – cette folie, cette foi, cette âpre espérance.

C'est pourquoi ils avaient tant aimé se faire les gardiens de Lila, n'avait pas dit Me Susane à Rudy.

Ils t'aiment beaucoup, oui, mais s'ils sont toujours d'accord pour garder Lila, c'est parce qu'ils s'en croient les grands-parents biologiques, aurait-elle dit à Rudy si elle avait osé.

Cependant, songeait-elle parfois avec une sorte d'épouvante, cette preuve par l'adn, ne se l'étaient-ils pas procurée peut-être, obnubilés comme ils l'étaient, dans son dos ?

Elle les croyait fort capables d'avoir envoyé à quelque laboratoire américain un crachat de Lila et quelques cheveux de Me Susane, de n'en avoir rien dit comme d'avoir dissimulé un éventuel résultat positif du test, ils étaient, oui, assez fous pour jouir âcrement de se savoir sans aucun doute les grands-parents de Lila tout en cachant à Me Susane qu'ils le savaient !

Sans aucun doute, croiraient-ils alors dans leur naïveté, leur ignorance et leur insanité !

Un test démontrant un lien de filiation entre Me Susane et Lila serait bien sûr erroné, songeait Me Susane sans pouvoir réprimer un ricanement d'exaspération, mais ses parents incultes n'en auraient même pas le soupçon !

Elle s'était souvent retenue de leur dire tout de go : Si vous avez fait réaliser un test adn et qu'on vous a répondu que j'étais la mère de Lila, sachez bien qu'il s'agit d'une erreur, apprenez que ces tests ne sont pas fiables à cent pour cent et qu'il y a même bon nombre d'escroqueries dans ce domaine.

Elle aurait peut-être ajouté avec un petit rire dont la dimension sarcastique et profondément fâchée leur aurait échappé : Le meilleur test, c'est ce que je vous affirme, non, je ne suis pas la mère de Lila.

Mais elle n'avait rien dit, ne voulant pas jeter l'ancre dans les profondeurs de leur égarement.

Car ils s'ingénieraient candidement à l'y retenir prisonnière par des affirmations obliques et des questions onduleuses, des reniflements de défiance et des sourcils haussés, si bien que Me Susane aurait pu finir, d'abord lassée puis envoûtée, par se sentir à son aise dans le vertige de ses parents.

Elle n'était pas toujours certaine de *ne point s'y trouver*.

Lorsque, ce mercredi matin, elle ouvrit sa porte à Rudy et Lila, qu'elle fit les présentations avec une Sharon tout particulièrement gracieuse et engageante puis qu'elle délivra la petite Lila de ses nombreuses couches de vêtements d'hiver, jusqu'à parvenir au corps grassouillet de la fillette en collants et tee-shirt, elle se disait, serrant contre sa poitrine cette chair lourde et dense de jeune enfant : J'aime cette petite comme la mienne.

Il faisait chaud dans l'appartement de Me Susane.

Elle avait poussé le thermostat, inquiète que Lila ne se sentît pas au mieux chez elle.

À présent Me Susane suffoquait dans son propre logement.

Elle remarqua que Rudy avait trop chaud lui aussi, qu'il était par ailleurs pressé de s'en aller au travail.

Il piétinait devant la porte, impatient de sortir cependant que Me Susane abreuvait Sharon de recommandations :

— Sharon, quand vous sortirez vous promener avec Lila, n'oubliez pas de lui mettre son écharpe, et rappelez-vous, Sharon, que Lila ne doit pas manger de fruits secs, il paraît, Sharon, que les fruits secs peuvent la tuer, et puis, d'après son père, il serait bien que Lila fasse la sieste, merci Sharon d'avoir accepté de vous occuper de Lila, merci beaucoup, vraiment.

Bizarrement encouragée par la présence de Rudy, par ses épaules larges et son pragmatisme pointilleux et comme si elle avait eu besoin, enfin, d'un témoin, elle ajouta, faussement légère :

— Et, Sharon, votre acte de mariage ? Avez-vous remis la main dessus ?

— Je vous en ai déjà, parlé, madame Susane.

— H..., riposta Me Susane, citant son prénom que Sharon regimbait encore à prononcer bien que Me Susane lui eût signifié maintes fois qu'elle ne pouvait s'autoriser à dire Sharon que si celle-ci, de son côté, acceptait de l'appeler par son prénom.

Sharon ne l'avait toujours pas fait.

Elle biaisait puis parfois, sans nécessité, lançait un « madame Susane » qui peinait autant qu'il agaçait Me Susane.

Sharon, énoncer mon prénom ne vous mettra pas en danger et ne vous unira pas à l'infamie dont vous me croyez marquée. Que flairez-vous sur moi, Sharon, qui vous inspire tant de dégoût à l'idée que je vous approche, physiquement comme spirituellement ? De quelle nature, Sharon, vous semble être l'odeur que je dégage ? Vous savez sur moi des choses que j'ignore !

— Je ne me rappelle pas que vous m'en ayez parlé précisément, dit-elle, cauteleuse.

— Mais si, vous avez oublié ?

Sharon, étonnée, souriante, d'un regard oblique et délicat tenta alors de s'allier Rudy mais il consultait son téléphone et, au grand soulagement de Me Susane, n'écoutait pas.

— Si si, poursuivit Sharon sans regarder Me Susane, je vous ai dit l'autre fois que mon acte de mariage est bloqué là-bas, à Maurice.

— Bloqué, c'est-à-dire ? souffla Me Susane d'une voix pleine de précaution.

— Eh bien, bloqué. Je vous l'ai expliqué l'autre fois.

— Mais, Sharon, quand ?

— Je ne sais pas, l'autre fois, je ne peux quand même pas me rappeler la date exacte. Je vous ai raconté qu'il y a des gens là-bas, à Maurice, qui retiennent mon acte de mariage.

— Retiennent ?

Me Susane balbutiait comme une enfant attardée, ânonnante et démunie, emplie de crainte.

Saisie de ce qui ressemblait à de la commisération, Sharon haussa vers l'oreille de Me Susane ses lèvres douces.

— Je vous l'ai dit, certaines personnes à qui j'ai demandé de m'envoyer le document sont déterminées à ne pas le faire, justement parce que j'en ai besoin. Elles espèrent, ces personnes, que cela nous obligera à rentrer, elles veulent qu'on échoue, oui, il y a des gens comme ça vous savez. Pour l'instant je n'y peux rien, vous n'aurez pas mon acte de mariage, je n'y peux vraiment rien, ajouta Sharon d'une voix qui se désolait pour Me Susane bien plus que pour elle-même.

Puis aussitôt elle se pencha vers Lila comme si Me Susane l'avait détournée, par ses questions oiseuses, d'une mission autrement importante.

Elle s'agenouilla devant Lila, passa ses mains sous le maillot et caressa le dos de l'enfant.

Lila marmonna de plaisir.

Elle frotta ses grosses joues sur le front de Sharon.

— Mmm, mmm, petit lapin, ta fourrure est douce petit lapin, susurrait Sharon.

Ténue, subtile, elle parut à Me Susane s'être encore rapetissée devant Lila, s'être rencognée en elle-même pour éviter d'effrayer l'enfant par sa taille d'adulte.

— Je crois que le contact est établi, chuchota Rudy en adressant à Me Susane un bon sourire de père heureux.

Elle se sentit alors (une seconde !) considérée ou reconnue comme la mère de Lila, cette fillette imparfaite, céleste et loyale.

À la fin de la journée, et alors que Me Susane, ayant passé de longues heures à tenter de débrouiller la situation de Sharon, qui, comprenait-elle dans un riotement intime et goguenard, ne ferait rien pour l'aider, revenait chez elle fort agacée, même vaguement décidée à lui notifier qu'elle ne travaillerait plus pour elle ni pour sa famille si Sharon s'obstinait absurdement à retarder les progrès de son dossier, elle trouva Lila et Sharon en train de dîner gaies et amies sous les feux ardents des lampes allumées au complet.

Elle vit tout de suite que Sharon avait concocté une agape à hauteur d'enfant.

Et elle apprécia avec reconnaissance et une très légère inquiétude la fine conscience professionnelle de Sharon qui paraissait avoir su d'emblée se faire idolâtrer de Lila.

La petite fille cria quelque chose que Me Susane interpréta comme : C'est délicieux, je me régale ! Ou : J'adore

Sharon ! Ou peut-être encore : Je veux rester avec Sharon toute ma vie !

La pointe d'une douleur nouvelle perça le cœur de Me Susane.

Ses parents qui aimaient Lila d'un amour primitif, immuable, fidèle n'avaient jamais eu l'idée de lui préparer, quand ils la gardaient, de repas comme celui que lui offrait Sharon ce soir-là.

M. et Mme Susane, indifférents à la nourriture, proposaient à Lila des plats surgelés qu'ils achetaient en promotion et stockaient dans le grand congélateur de la cave en quantités absurdes et cavalières, affirmant qu'ils ne pouvaient à la fois faire les courses et se rappeler ce qu'ils avaient déjà emmagasiné, alors ils engrangeaient de manière insensée puis jetaient, au bout de cinq ou dix ans, ce qu'ils n'avaient pas mangé, avec la même désinvolture que celle qui avait conduit à l'achat de toutes ces denrées.

Ils se réjouissaient que Lila ne fût pas difficile, voyant comme une qualité morale supplémentaire de leur chère Lila qu'elle ingurgitât sans se plaindre les brouets frelatés dont ils faisaient, facilement contents, tout jugement altéré, leur pitance quotidienne.

Me Susane avait tenté de les mettre en garde :

— Lila est une petite fille trop grosse, il faut la nourrir avec discernement.

Ils s'étaient récriés :

— Nous mangeons la même chose et nous ne sommes pas trop gros. Ça n'a pas de rapport avec nous.

Me Susane n'était pas certaine, quant à elle, que ses parents ne fussent pas devenus beaucoup trop gros.

Ils avaient changé depuis son enfance où elle avait le

souvenir d'un couple sec, à la chair efficace, économe, concise.

Mais qu'importe, se disait-elle, ils engraissent dans leurs vieux jours et ne le remarquent pas, ils se plaisent à eux-mêmes et l'un à l'autre, quelle importance qu'ils se meuvent ensemble, toujours d'accord, érotiquement unis, vers un incontestable surpoids ?

— Lila est trop jeune, il faut lui donner de bonnes habitudes. Le médecin l'a pesée, elle est au-delà de la moyenne pour une fillette de son âge, leur expliquait-elle cependant.

— Ah les médecins ! sifflait M. Susane, se forçant à ricaner car il n'était pas coutumier du manque de respect envers les savants.

— Lila est très bien comme elle est, ajoutait Mme Susane sur un ton définitif.

Sharon avait servi à Lila, sur un lit de courgettes et d'aubergines grillées, de fines tranches d'agneau de lait.

Elle avait réalisé une sauce légère à base de menthe fraîche et de jus d'amande.

Me Susane, plus tard, finirait les quelques restes, délectables.

Pourquoi M. et Mme Susane ne pouvaient-ils offrir à Lila le même soin tendre et appliqué que Sharon, eux qui soutenaient pourtant en eux-mêmes que Lila était leur petite-fille biologique ?

Leur amour féroce pour Lila était celui de véritables grands-parents mais le désintérêt qu'ils manifestaient à l'égard de sa santé semblait exprimer qu'ils savaient n'avoir pas avec elle de liens assez incontestables pour s'ennuyer avec la contrainte de repas équilibrés.

Me Susane, à ce propos, souffrait pour eux.

Mais qu'aurait-elle pu faire, se demandait-elle.

Confesser mensongèrement qu'elle avait accouché de Lila sept ans plus tôt ?

Ou leur reprocher avec véhémence de nourrir Lila de produits médiocres alors qu'ils n'agiraient peut-être pas ainsi avec la véritable chair de leur chair ?

Peu après que Me Susane fut rentrée, Rudy vint chercher Lila, d'abord nerveux et anxieux puis si profondément rassuré quand la fillette posa le front sur son ventre tout en l'étreignant de toute sa force qu'il s'écria à l'adresse de Me Susane comme de Sharon, d'une voix emplie de gratitude :

— Merci, merci !

Car il était rare que Lila affichât ses sentiments lorsqu'elle était heureuse et Rudy retrouvait le plus souvent, même chez M. et Mme Susane où tout se passait au mieux, une enfant froidement maussade, contente à sa manière indiscernable et morose, morne et muette.

— Je n'ai jamais vu ma Lila aussi réjouie, dit-il au téléphone à Me Susane dès le lendemain matin. Sharon a su s'y prendre avec elle comme personne, ni sa mère ni moi ni tes parents adorables. Elle m'a fait comprendre, en plus, qu'elle avait mangé le meilleur repas de toute sa vie.

Me Susane lui répondit qu'elle en était enchantée.

Elle se sentait fière, à la fois de Sharon et d'elle-même.

Puis, après qu'ils se furent adressé les salutations d'usage à l'instant de raccrocher et comme si Rudy avait attendu ce moment pour donner à ce qu'il voulait dire une coloration badine, il ajouta :

— D'après ce que j'ai compris, Sharon et Lila ont fait

les courses ensemble puis Sharon l'a emmenée dans un appartement où elle devait travailler, faire le ménage quoi. Ça n'a pas déplu à Lila, apparemment. Elle a fureté partout, elle est montée à cheval sur l'aspirateur de Sharon, elle l'a même aidée à retourner un matelas – enfin, je te traduis peut-être mal ce que je crois avoir saisi...

— Sharon a emmené Lila chez une autre patronne ? Dans une maison inconnue ? C'est bien ce que t'a signifié Lila ?

Me Susane, scandalisée, s'évertuait à parler sur un ton égal qui cependant n'abusa pas Rudy.

— Ne t'inquiète pas, Lila avait l'air absolument ravie ! s'écria-t-il promptement, craignant peut-être, songea Me Susane, qu'elle ne permît plus à Sharon, pour cette broutille, de garder Lila. Et puis après, qu'est-ce que ça fait ? demanda-t-il non sans courage. Tu m'avais bien dit que Sharon était sérieuse et fiable, irréprochable ? À partir de là, en ce qui me concerne, elle peut bien emmener Lila où elle veut.

— Oui, d'accord, tu as raison, dit Me Susane tout affaiblie par une brutale sensation de soulagement.

Que Lila, oui, après tout, soit emmenée où le souhaite Sharon, cette Providence, et que Lila nous éclaire tous !

C'est pourquoi, le soir de ce même jour glacial, lugubre, la première phrase que lança à Sharon Me Susane, qui voulait, se disait-elle, mettre les choses au net, fut celle-ci :

— J'ai appris, Sharon, que vous étiez allée chez une autre employeuse avec Lila.

Elle avait fait sa voix aussi douce que possible et précautionneux également son pas sur le plancher *pour ne pas risquer de voir s'envoler trop tôt la poule faisane ou détaler la chevrette hors de portée de fusil.* Mais il n'y a pas de problème, Sharon, puisque le père de Lila m'a dit ce matin qu'il n'y voyait pas d'inconvénients. C'est lui qui juge, n'est-ce pas ?

Sharon, minuscule, visage levé et attentif, dur et presque fripé sous les leds effervescentes, eut un bref sourire de reddition puis elle baissa les yeux.

— Oui, souffla-t-elle, je suis allée chez Mme Principaux, je ne peux pas la laisser tomber comme ça.

— Je ne vous le demande plus, murmura Me Susane. Le père de Lila est d'accord de toute façon. C'est lui qui juge, n'est-ce pas ?

— En effet.

La voix de Sharon sonnait maintenant haute et fière, provocante.

— La maman n'a rien dit contre ?

— La maman ? bégaya Me Susane. Quelle maman ?

— La maman de Lila ? Elle n'est pas contre que la petite m'accompagne chez Mme Principaux ?

— Je n'en sais rien, je suppose que non mais je n'en sais vraiment rien, c'est au père de s'en occuper. Mon dieu, Sharon, ce n'est pas à moi d'interroger à ce propos la mère de Lila. La maman de Lila, ajouta lâchement Me Susane pour complaire à Sharon.

— Vous ne la connaissez pas ? demanda Sharon au bout de longues secondes emplies de soupçon et d'incrédulité.

— La mère de Lila ? La maman ?

Sharon resta muette.

Son regard bleu-vert, inclément, fixait le visage de Me Susane très au-dessus d'elle.

— Eh bien, non, je sais qui elle est mais je ne l'ai jamais

rencontrée, et après ? Je sais quand même qui elle est, voilà. Qu'entendez-vous, Sharon, par « connaître » ? « Rencontrer » ou « savoir » ?

— Comme vous voulez, murmura Sharon.

Comme rompue soudain, elle attrapa d'un geste lent son blouson à la patère.

Elle effleura son cou dénudé, jeta d'une voix sèche :

— Votre écharpe orange, vous avez vu, je l'ai mise à la petite quand le papa est venu la prendre.

Me Susane, la veille, n'avait rien remarqué, elle n'était même pas certaine d'avoir dit au revoir à Lila, tout occupée à discuter avec Rudy du cas de son client qui voulait changer de nom.

— Vous avez bien fait, merci. Sharon...

Me Susane retint son souffle.

Puis, pantelante, elle bafouilla :

— Que puis-je faire pour cette histoire d'acte de mariage ? Votre dossier ? Il me faut ce document, vous savez.

— Ah, dit Sharon, je vous fais confiance. Les idées que vous aurez seront les bonnes, ce que vous ferez sera bien fait. Moi je ne peux rien. C'est votre travail, de sauver les gens qui ne peuvent rien. Chaque soir ce n'est pas Dieu que je prie en premier, c'est Me Susane.

Alors, dans le couloir, Sharon se mit à genoux, d'un mouvement lourd, douloureux bien qu'elle fût impondérable sur cette terre.

— Je me mets comme ça, vous voyez, et je m'adresse à vous et je vous supplie de nous venir en aide. Ensuite, seulement, je parle à Dieu. Car, vous, je sais que tout ce que vous ferez sera bien fait.

Me Susane, offusquée, releva Sharon d'une poigne brusque.

— Ce n'est pas bien, balbutia-t-elle, vous ne devez pas avoir des pensées pareilles, tant d'espérance...

Elle pouvait sentir sous ses doigts le frêle humérus de Sharon, la chair drue et grêle de cette femme sans importance qui occupait maintenant dans ses pensées une place égale à celle de Marlyne Principaux.

Les prières, Sharon, j'ai cela en horreur, cette féminine piété larmoyante, cette attente roublarde, calculatrice ! Ne me donnez pas, Sharon, un rôle dans cette pièce complaisante de votre pensée étrange et commune en même temps, ne priez pas, Sharon, à mon adresse ! Quelle honte pour moi !

Me Susane, le lendemain, lorsqu'elle sortit pour se rendre au cabinet dans le froid hyperboréen de ce singulier hiver, n'avait pas chaussé ses bottes à semelle de caoutchouc.

Elle avait choisi, songeant vaguement que c'était une erreur, des bottines à talon.

Principaux, peut-être, lui rendrait visite ?

Mais ne désirait-elle pas rebuter Principaux plutôt que de lui plaire ?

Elle voulait avoir, face à l'hypothétique présence de Principaux, une assurance que lui donnaient les petits talons pointus bien davantage que les semelles de caoutchouc et même si cette crânerie des talons, cet aplomb offert tant par la hauteur amplifiée (et Me Susane était déjà très grande !) que par l'autorité sans appel, obtuse, tyrannique du clac-clac sur le plancher sonore lui paraissaient d'un faible pouvoir devant Principaux et l'absence de souvenir qu'il prétendait avoir de leur relation ancienne – la mainmise qu'il s'octroyait (peut-être) sur la mémoire de Me Susane.

Elle pensait parfois, confusément :

Et si maman ne se trompait pas ? Si nous étions allées toutes les deux chez des Majuraux et non chez les Principaux ? Que me serait alors Gilles Principaux ? Rien du tout, hormis qu'il est le mari de Marlyne. Qui dois-je être devant cet homme ?

Elle avait alors choisi, ce matin-là, de lui apparaître, s'il venait au cabinet, comme une femme aux talons pointus, autoritaire, glamoureusement despotique dans sa démarche retentissante.

Elle ne voulait pas le séduire mais l'intimider, non le charmer mais le réduire, cet homme au torse creux, aux chemises bleuâtres sous le pull à col rond.

Elle avait péché par vanité, par faiblesse, se dirait-elle une fois qu'elle se serait relevée, et sa peur de Principaux avait conduit à la sottise des talons.

Oui, elle avait peur de lui – avec rage, sans certitude d'aucune sorte et bien consciente qu'il ne pouvait lui dire, comme elle l'avait entendu en rêve :

C'est à un Majuraux que vous avez eu affaire autrefois, votre mère ne se trompe pas et vous ne me connaissez, moi, Principaux, que depuis deux semaines.

Ah je suis bien punie, songerait-elle, punie d'avoir été assez médiocre pour le craindre et désirer lui en imposer grâce à un simulacre de puissance.

Elle avançait de son grand pas habituel.

Allées de Tourny les semelles lisses des fines bottines dérapèrent sur le pavé gelé.

Elle tomba brutalement.

Son front cogna le bord du trottoir.

Elle n'eut pas conscience de cette blessure, du sang

qui coulait sur sa tempe tant son genou gauche était douloureux.

Elle fit aussitôt l'effort de se remettre debout, affreusement gênée.

Mais son genou se déroba, elle s'écroula de nouveau.

Sa joue frappa le sol et, comme après une gifle inattendue, imméritée, un flot de larmes stupéfaites lui monta aux yeux.

Elle avait tellement honte, de ses insuffisances, de ses errements, qu'elle repoussa d'un geste résolu les mains qui lui venaient en aide.

— Ça va aller, merci, merci, bredouilla-t-elle.

Au prix d'une souffrance qu'elle se serait épargnée si elle avait accepté l'appui de ces mains anonymes, elle se rétablit sur ses jambes tremblantes, s'éloigna à tout petits pas.

Du sang coulait de son front sur ses lèvres.

Son genou lui faisait horriblement mal.

Elle boitilla jusqu'au cabinet.

Comme elle aurait aimé appeler Mme Susane !

Pourquoi, mon dieu, ne puis-je appeler ma mère ?

Comment en sommes-nous, tous les trois, arrivés là, fille aimante, parents aimants, au point que je ne puisse leur demander de venir me consoler, panser mon âme, soigner ma plaie ?

Elle monta péniblement les deux étages, s'accrochant à la rampe loin devant elle puis se tractant afin que son pied gauche ne se posât que très légèrement sur les marches.

Devant la porte du cabinet, appuyé des deux épaules au mur et les hanches en avant comme une gouape dans un vieux film, Principaux l'attendait, visage sombre.

Me Susane étouffa difficilement un petit cri de surprise, de contrariété.

Elle passa une main rapide sur ses joues souillées.

Alors Principaux lui adressa un large sourire gamin.

Il eut, même, une telle expression de gentillesse que Me Susane en fut touchée malgré elle.

Il semblait ne remarquer ni la forte claudication de Me Susane ni le sang sur son front.

Il la regardait sans la voir, elle s'en trouva à la fois soulagée et troublée.

— Ah vous voilà ! s'écria-t-il comme un enfant content.

Ses yeux allaient de la figure de Me Susane à ses pieds – pas même un enfant mais un jeune chien, un animal heureux, se dit-elle non sans malaise.

— Vous pouvez me recevoir ? Vous avez un peu de temps ? Est-ce que j'aurais dû prendre rendez-vous ? demandait-il maintenant sur un ton suppliant, presque geignard.

Ne vois-tu donc pas que je suis blessée ? Que je saigne ?

Cela, Me Susane n'osa pourtant le lui dire.

Elle souffla, fatiguée mais aimable :

— Non, non, je vous en prie, vous avez bien fait, je voulais justement vous...

Sa voix s'épuisa en un murmure inaudible.

Elle fit entrer Principaux puis elle clopina vers les toilettes.

Le reflet de son visage dans le minuscule miroir l'épouvanta.

Du sang séchait dans ses sourcils, sur les ailes de son nez, gouttait encore à l'entaille de son front.

Elle se débarbouilla du mieux qu'elle put.

Elle se recoiffa, passa sur ses lèvres un rouge trop vif, se dit-elle, pour la circonstance, espérant se donner ainsi une prestance que ne lui apporteraient plus ses bottines sonnantes.

Car il lui importait, face à Principaux, de n'être pas elle-même.

Il lui importait, face à Principaux, d'être une femme invincible.

Il s'était déjà installé, avait ôté écharpe et manteau qu'il avait pliés strictement et posés près de son fauteuil, devant le bureau de Me Susane.

Quand elle s'assit une violente douleur traversa son genou.

Elle s'autorisa à grimacer, Principaux ne semblant s'aviser de rien.

Il fixait son visage pourtant, sa bouche peinte que devait déformer la souffrance – et l'étonnement de souffrir ainsi.

Il s'était rembruni tout à coup.

Mais ce qu'il inspectait de son œil rancuneux, méfiant ne se rapportait nullement au visage abîmé de Me Susane qu'il ne voyait littéralement pas, comprit-elle.

Il sondait avec anxiété et suspicion son propre désordre intime.

— Maître, je ne sais plus quoi penser, je suis très malheureux, je veux dire plus malheureux encore.

Elle haussa les sourcils, ce qui lui provoqua un atroce élancement à la tempe droite.

Elle pencha sa tête soudain trop lourde vers son bureau et l'étaya d'une main posée sous sa joue.

Comme elle avait mal !

— Maître, disait Principaux, je ne comprends pas pourquoi Marlyne ne veut plus me voir. J'y suis allé hier, elle a refusé le parloir. Maître, aidez-moi !

Il éclata en sanglots.

— Elle a refusé le parloir, je ne comprends pas pourquoi, je ne lui dis que des choses gentilles, des mots d'amour, je ne lui pose aucune question, elle ne peut pas avoir peur de moi, non ? Je suis doux, je suis compréhensif, vous vous rendez compte ? Je suis une victime douce et compréhensive !

Le désarroi, le chagrin et l'inquiétude hissaient la voix de Principaux vers un aigu pénible à l'oreille de Me Susane.

Le jeune Principaux, dans sa chambre de Caudéran, pouvait-il avoir eu une voix aussi stridente ? Ne s'en serait-elle pas souvenue ?

Comme elle avait mal !

Elle eut l'impression que le sang se mettait à ruisseler de sa plaie, que ses joues en étaient couvertes de nouveau, et que ses cils alourdis de sang, gluants, empêchaient la paupière d'humecter sa pupille, ce pourquoi ses yeux étaient si secs, comme si on lui avait jeté à la face une pleine poignée de cendres !

Elle se retint de porter les doigts à son visage, de s'excuser de son aspect.

Puisque Principaux, en tout état de cause, ne la voyait pas.

— C'est bien moi la victime, n'est-ce pas, Maître ? Moi et les petits ?

Principaux pleurait doucement maintenant.

— Laissez-la tranquille, dit Me Susane avec effort. Ne vous tourmentez pas. Elle ne veut plus vous voir, eh bien n'insistez pas. Qu'est-ce que ça peut vous faire ? Pourquoi tenez-vous absolument à la voir ? À vous persuader que vous l'aimez ? Votre présence la torture, sa présence vous met au supplice, eh bien n'y allez plus.

Avait-elle vraiment prononcé de tels mots ?

Me Susane, abrutie de douleur, n'en était pas certaine, d'autant que Principaux la regardait toujours avec un air expectatif, comme s'il attendait qu'elle se décidât à lui répondre.

Il avait sorti de sa poche un large mouchoir en tissu, propre et bien repassé, qu'il avait déplié lentement, soigneusement avant de tamponner ses yeux.

— Racontez-moi, dit alors Me Susane, quand vous êtes rentré à la maison, que vous avez trouvé les policiers et Marlyne dans le salon...

Ainsi qu'elle l'avait auguré Principaux s'anima.

Ses mains se mirent à trembler, au point qu'il dut se résoudre à froisser son mouchoir avant de le ranger dans sa poche, incapable de le replier.

Un sourire fixe, incongru remonta le coin de ses lèvres, ce même sourire malséant que Me Susane lui avait vu lors de ses interviews et qu'elle se gardait bien de juger, contrairement à certains commentateurs qui en avaient conclu à la perversité de Principaux.

Il lui sembla évident, tout à coup, que ce rictus servait à Principaux à dissimuler sa fureur, son profond sentiment d'être incompris.

C'était, lui apparut-il soudain, le réflexe malencontreux de la pudeur, l'exhibition maladroite de l'idée qu'il se faisait de la décence et selon laquelle on ne devait afficher ni sa souffrance ni sa colère.

— Car oui, Maître, commença-t-il en mangeant, par émotion, la moitié de ses mots, comme vous le savez Marlyne m'avait appelé avant, j'étais à la fac, j'étais au travail et elle m'a appelé pour me demander de rentrer, pour m'ordonner de rentrer à vrai dire, ce qui m'a, c'est vrai, contrarié. Car j'avais beaucoup à faire ce jour-là. Car oui, Maître, je pourrais dire que j'étais débordé ce jour-là. Car oui, je devais encore effectuer certaines tâches administratives, recevoir des étudiants, remplir des tableaux et rédiger des rapports, sans compter les nombreux mails dont la liste m'angoissait depuis le matin quand j'avais ouvert ma boîte et vu qu'une difficulté anodine dont j'avais osé faire part à mes collègues et à la direction m'avait valu un torrent de réponses et de déclarations dont je me serais bien passé et qui m'avaient fait penser entre moi-même, qui m'avaient fait penser je veux dire, que j'aurais mieux fait de ne rien dire, de ne pas soulever tel petit problème qui alors, c'est vrai, ne m'avait pas semblé petit mais pas si important non plus pour me valoir ce déferlement de réactions. Car, Maître, j'aurais pu en être flatté, non ? Non ?

Me Susane resta silencieuse.

Elle croyait sentir le sang sur sa figure.

Son genou la lançait si cruellement que la simple perspective de devoir se mettre debout l'affolait.

— Car, Maître, oui, certains de mes collègues auraient tiré avantage et vanité d'un tel fait, reprit Principaux avec une fougue bégayante, car, oui, voilà, vous parlez presque incidemment de quelque chose, quelque chose qui vous tient à cœur, qui touche à la religion, ou à la laïcité, c'est pareil en l'occurrence, et alors, et alors tout s'enchaîne et se multiplie et vous ne savez plus où donner de la tête et vous pouvez tirer de ce feu des marrons d'or si vous êtes ambitieux, ce que, Maître, je ne suis pas, pas suffisamment sans doute, et je n'ai tiré du feu de la joute verbale que des marrons carbonisés qui jamais ne feront, Maître, ni ma gloire ni ma fortune. Car oui, je suis un gentil, un doux, un pacifique, je suis un naïf, oui, Maître. Car je suis un crédule, Maître. Car je suis, Maître, un...

Elle le coupa :

— Que s'est-il passé quand vous êtes rentré à la maison ?

Il lui semblait maintenant que le sang de sa plaie perlait de la pointe de son menton sur le col de son chemisier.

Que voyait-il ?

Elle n'osait faire le moindre geste.

À présent ses mains reposaient, pesantes, énormes entre ses cuisses non moins lourdes, pétrifiées.

— Ah oui, Maître, quand je suis rentré ce fameux jour !

Il voulut feindre de rire puis brisa net cet élan.

Il souriait encore cependant, distraitement, sans conscience, tandis que son regard affligé et dur fixait l'oreille de Me Susane.

— Car oui, Maître, Marlyne m'a appelé alors que j'étais en plein travail, elle ne m'appelait, ne me dérangeait jamais et vous penserez certainement que, dès lors, j'aurais dû comprendre qu'il y avait quelque chose de grave. Car non, Maître, je ne l'ai pas compris alors que j'aurais dû. Maître, je ne me le pardonnerai jamais même si je sais que cela n'aurait rien changé et que Marlyne a posé son geste sitôt après m'avoir appelé, ou presque. Car je me serais précipité et après ? Oui, Maître, et après ? Car j'aurais trouvé les petits avant que les policiers n'arrivent. Car j'aurais trouvé les petits décédés de toute façon. Car, Maître, techniquement cela n'aurait rien changé, non ? Car son appel m'a importuné ? Oui, j'étais impatient, mécontent, elle n'avait rien à me dire, elle chuchotait : Tu peux rentrer, s'il te plaît ? Ah si tu pouvais rentrer tout de suite, et quand je lui ai demandé pourquoi en lui disant aussi que, juste là, j'avais beaucoup à faire, beaucoup trop à mon goût, elle s'est bornée à répéter d'une voix gémissante, apitoyée, agaçante, oui, Maître, pas vraiment le genre d'intonation auquel vous avez envie d'obéir : Rentre, s'il te plaît, rentre à la maison. Car j'aurais dû comprendre ? Car personne n'aurait compris, Maître. Car j'avais mille choses à faire ce jour-là. Car néanmoins je suis rentré bien plus tôt que prévu, Maître, personne ne le signale. Car j'ai pris sur moi, car une sourde inquiétude a commencé de me tracasser, Maître. Je suis rentré avant l'heure habituelle. Car l'angoisse remplaçait peu à peu l'irritation, car le temps, même bref, décante les impulsions, oui, Maître. Car je n'étais plus exaspéré une heure après l'appel de Marlyne, car j'étais tourmenté, oui. Car j'ai roulé plus vite que d'ordinaire. Car j'étais préoccupé, oui, car j'avais soudain peur pour ma femme, pour Marlyne, car je me disais elle ne va peut-être pas bien du tout, pourquoi m'a-t-elle appelé alors qu'elle ne le fait jamais, elle est peut-être déprimée même si, Maître, je ne voyais aucune raison à une éventuelle déprime de Marlyne qui, à mes yeux, Maître, allait bien, très bien, car elle était encore elle-même le matin de ce jour affreux et la veille également, car elle était elle-même tout le temps, oui, Maître, car Marlyne ne changeait jamais d'humeur, car elle était stable et bien tranquille, Maître, car Marlyne était, Maître, oui, une femme équilibrée, Maître, une femme constante que j'aimais absolument et que, Maître, oui, je comprenais, que j'aimais, car une raisonnable femme, car une femme raisonnable que, Maître, j'aimais et, oui, comprenais absolument.

Principaux, à bout de souffle, s'arrêta.

Il ne souriait plus mais grimaçait encore si fortement que toute sa face en était travestie.

Il ferma les yeux.

Me Susane en profita (*pourquoi puisqu'il ne la voyait pas ?*) pour porter à son front sa main pesante, réticente, et il lui sembla que sa plaie suintait encore mais que le sang ne s'en écoulait pas avec l'effroyable abondance dont elle avait auparavant éprouvé la nette, l'indiscutable sensation.

— Car oui, Maître, je suis arrivé chez nous, car je suis arrivé et j'ai vu que la police était là, garée devant notre maison sans histoire, devant notre vie sans histoire, car alors j'ai compris, Maître, que quelque chose de grave était survenu, que quelque chose de mauvais était arrivé à Marlyne, car elle était encore et sera toujours mon épouse chérie, la seule et unique femme que j'aimerai jusqu'à ma mort, car elle est Marlyne et celle que j'aime et la mère éternelle de mes enfants quoi qu'il en soit, des seuls enfants qui me seront nés en ce monde, car, Maître, oui, car oui je suis arrivé et ma vie a pris une autre tournure car je n'aurai plus jamais d'enfant avec qui que ce soit car je pourrais bien sûr procréer de nouveau car je ne le veux pas car cette simple hypothèse me fait horreur car je ne veux plus d'enfant, jamais, arrivé devant notre chère maison, devant mon épouse chérie car j'ai alors avisé le véhicule de police et j'ai pensé oh non mon amour, oh non je ne veux pas que tu sois morte car je ne pensais qu'à Marlyne car je ne m'étais jamais vraiment tracassé pour les enfants qui jouissaient grâce à Marlyne d'une santé formidable, car je suis arrivé, car je suis entré et j'ai trouvé ma chère Marlyne assise sur le canapé car les policiers l'avaient installée là car Marlyne était une femme obéissante car à l'excès car parfois je lui disais qu'elle devait se défendre au travail et ne pas se laisser maltraiter par un principal de collège tyrannique car ainsi me permettrais-je de qualifier ce monsieur du collège de Pauillac qu'elle affirmait respecter et apprécier mais qui lui imposait un nombre d'heures supplémentaires qui ne pouvaient que nuire à sa santé mentale car ma femme chérie, mon amour était ce qu'on appelle une personnalité fragile car elle était fragile car elle était fragile et sensible car sa propre mère et ses sœurs car elles l'avaient laissée tomber car vous le savez car elles ne lui rendaient pratiquement plus visite depuis que nos enfants étaient nés et comme si, mon dieu, Marlyne avait indiscutablement déchu en devenant mère de famille car toute valeur s'inversait comme dans un film d'anticipation où vos proches vous critiqueraient vous rejetteraient pour votre vertu et non pour votre désordre, car alors oui Maître sa propre mère avait plus ou moins décidé de ne plus fréquenter Marlyne au motif que Marlyne ne vivait pas selon les préceptes respectables mais contestables que s'était forgés madame mère sur le devoir qu'avait toute épouse d'être économiquement indépendante, car cela je ne le récuse nullement car si ma pauvre petite Julia avait vécu car je le lui aurais enseigné également car je ne suis pas l'homme qu'on croit ou que croit la mère de Marlyne car je suis un homme car je suis un père j'étais un père acquis depuis toujours à ces idées d'émancipation et madame mère a cru préférable d'abandonner Marlyne plutôt que d'entendre la voix décidée de sa fille lui expliquer qu'elle avait fait le choix de s'occuper à plein temps de nos enfants, car madame mère, oui Maître, a opté pour la désertion pure et simple, pour le lâchage froid, cruel, impardonnable d'une fille adulte osant aller à l'encontre de ses prescriptions, car Maître car je le sais car Marlyne a considérablement souffert car elle a souffert de la distance considérablement souffert de la distance qu'ont instaurée brutalement entre elles-mêmes et Marlyne sa mère et ses sœurs car, oui Maître, ces trois femmes ont manqué de cœur dans des proportions criminelles, car je ne leur pardonnerai jamais jamais, car elles ont délaissé ma chère Marlyne qui, quoi qu'on en pense, faisait toujours du mieux qu'elle pouvait, car elle a tué car elle pensait ainsi agir du mieux qu'elle pouvait, car elle a cru, c'est choquant oui Maître mais c'est la vérité, car c'est la vérité car elle a cru bien faire comme elle avait toujours bien fait auparavant, car elle leur a donné la mort car elle leur a toujours donné tout ce qu'elle pouvait et ce tout-là s'est révélé être la mort car la mort était alors ce qu'elle pensait devoir leur donner car ma pauvre femme est démente, Maître, c'est une évidence, car elle est démente à sa manière discrète et admirable et pudique et méritoire car elle mérite notre respect plein et entier car je tâche de suppléer par mon amour et mon soutien madame mère qui ne veut plus entendre parler de Marlyne, car c'est cruel car c'est abominable de sa part quand on est une mère, oui Maître, car je ne sais pas si c'est votre cas, être une mère, car je ne le sais pas…

— Plus ou moins, murmura Me Susane, harassée comme rarement elle l'avait été.

— Voulez-vous dire, Maître, que vous avez plus ou moins des enfants ? répéta Principaux avec un soudain amusement qui fit de nouveau apparaître son large sourire de petit garçon.

— C'est littéralement cela, dit Me Susane d'une voix cassante. Il n'y a aucune matière à plaisanterie là-dedans.

Prise d'une brusque envie d'uriner elle se leva gauchement.

Elle cahota jusqu'aux toilettes où elle évita de se regarder dans le miroir, certaine d'y voir reflétée une pauvre figure barbouillée de sang, sachant également que la femme sensée en elle douterait de la réalité d'une telle vision et ne se sentant pas la force de trancher entre la femme sensée et celle qui ne l'était point mais comprenait souvent toute chose plus exactement.

Qui était Principaux pour elle ?

— Car, oui Maître, reprit-il dès qu'elle fut de retour, car je suis arrivé, car il a bien fallu que je finisse par arriver, car il a bien fallu que je pénètre dans notre maison et que je voie, si j'ose dire ! Car ce qu'il y avait à voir, il fallait bien, n'est-ce pas, que je le voie ! Car je serais arrivé de toute façon, car j'aurais bien vu, de toute façon, ce que je devais voir, n'est-ce pas, Maître ? Car voir ce qu'on vous montre, car n'avoir pas la chance d'être aveugle, car c'est inévitable, n'est-ce pas, Maître ? Car la chance d'être aveugle en de telles circonstances, Maître ! Car je n'ai pas demandé à les voir ! Car ils m'ont acculé, Maître ! Car je ne voulais rien voir ni rien savoir, car je ne voulais ni regarder ni apprendre mais je n'aimais que Marlyne, Maître. Car j'aimais ma femme avant tout, Maître.

— Qui vous a acculé, monsieur Principaux ? Et à faire quoi ?

— Maître, Gilles, appelez-moi Gilles, Maître, car je m'appelle Gilles.

— Je ne préfère pas, monsieur Principaux, vous appeler Gilles, murmura Me Susane.

D'une voix raffermie elle ajouta :

— Je préfère ne pas vous appeler Gilles. Et je souhaite que, de votre côté, vous évitiez de m'appeler par mon prénom.

— Je ne le connais pas, en fait, constata Principaux sur un ton de légère surprise.

— Vous ne le connaissez pas ou vous ne vous en souvenez pas ?

Elle laissa échapper un petit rire aigre qu'elle regretta, dont elle eut honte.

Sa douleur au genou s'aviva.

— Excusez-moi, dit-elle calmement.

Elle se pencha sur le côté, essaya de masser son articulation mais ce geste lui causa une plus grande douleur encore.

Et son visage sanguinolent, quel embarras !

Jamais, que ce fût avec Rudy ou avec les autres hommes, peu nombreux, dont le souvenir l'autorisait à penser vaguement qu'elle avait eu une sorte de vie sexuelle, jamais elle n'avait éprouvé l'impression d'une telle mise à nu de sa chair.

— Ces deux types m'ont forcé, Maître, les deux flics qui étaient déjà là quand je suis arrivé.

Elle le coupa :

— Il n'y avait pas un homme et une femme ? Elle jeune, lui près de la retraite ?

— Non, Maître, pas du tout, c'étaient deux hommes, dit Principaux sur le ton tranquillement péremptoire de celui qui sait qu'on ne pourra sur ce point révoquer son témoignage. Car deux hommes, pas de femme, non non, vous imaginez bien que je m'en souviendrais, car deux flics assez vieux, car un maigrichon et un bedonnant car ils m'ont sauté dessus dès que j'ai eu poussé la porte, car ils ne m'ont même pas permis de parler à Marlyne, car ils m'ont poussé vers la chambre car je ne savais pas du tout à quoi m'attendre car pourquoi m'obliger car, n'est-ce pas, notre chambre aurait dû être un sanctuaire dès lors que Marlyne avait posé son acte car elle l'avait fait, oui Maître, elle l'avait fait et ce qui avait été accompli relevait de l'absolu, n'est-ce pas, Maître, car on ne pouvait en aucune façon rêver ou envisager de le défaire ou de le modérer ou d'en atténuer le résultat, de sorte, Maître, qu'ils m'ont poussé oui poussé vers cette sainte chambre où mes enfants, Maître, où mes enfants...

Me Susane bannit l'idée de lui demander s'il avait vu les cadavres placés sur le lit ou dans le lit, exposés ou bordés.

Il essuyait son visage pâle et creux, ses yeux mouillés.

Me Susane osa alors tamponner les siens.

Elle avait tellement mal, en tout point !

Tous deux sursautèrent, comme des complices, songea Me Susane, lorsque sonna le téléphone de la ligne fixe.

— C'est moi ma chérie...

La voix de sa mère lui parvenait si faiblement que Me Susane s'alarma :

— Oui maman, que se passe-t-il ? Est-ce que tu vas bien ?

— Oui oui. Ton père n'est pas encore rentré alors j'en profite...

Mme Susane suspendit son propos assez longuement pour que Me Susane s'inquiétât de nouveau.

— Allô maman ? Tu es là ? Tout va bien ?

— Oui oui, ma chérie, ne t'inquiète pas. Je voulais te dire que je me suis trompée, j'ai confondu en quelque sorte. Puis j'ai fait une chose singulière... J'ai sommé ma mémoire de me dire la vérité, vois-tu... Et ça a marché.

— C'est-à-dire ?

Me Susane, pour s'empêcher de parler trop fort, avait soudain une voix basse, voilée, comme indifférente.

Principaux la regardait, l'œil humide encore, son mouchoir serré dans son poing.

Voyait-il la figure pitoyable de Me Susane, ses joues maculées, la détresse générale de son aspect ?

— Eh bien je sais maintenant, reprit Mme Susane si sourdement que Me Susane la comprenait à peine, je sais que cette famille merveilleuse s'appelait Ravalet, oui, les Ravalet de Caudéran, ma chérie, si cela peut t'aider.

— Maman, Ravalet, vraiment ?

— Oui, je le sais à présent, comme je te l'expliquais j'ai, en quelque sorte, mis ma mémoire en demeure d'être exacte.

— Tu l'as mise en demeure, mais, maman, ta mémoire ne risquait rien ! Quel était l'enjeu ? Quand on exige, quand on enjoint, il faut que l'autre ait peur de quelque chose ! De quoi avait peur ta mémoire, franchement ?

Le torrent d'une colère inattendue emporta chez Me Susane toute velléité de discrétion.

— Maman, tu me tues, gémit-elle au plus près du combiné. Tu me parles de ces soi-disant Ravalet mais ce nom n'a pas de rapport avec... Enfin, la sonorité n'a rien à voir avec Majuraux ! Tu es sûre, absolument sûre ?

— Oui, ma chérie, et c'est toi qui me tues avec tes doutes, cette incrédulité, cette méchanceté, je ne te reconnais pas. Pourquoi ne...

— Maman, je ne t'entends pas, parle plus fort !

— Pourquoi, reprit Mme Susane d'une voix mourante, pourquoi ai-je le sentiment que tu me croirais, que tu m'aimerais de nouveau uniquement si j'affirmais que leur nom était Principaux ? Je t'avouerais alors que je mens mais tu ne l'entendrais pas, tu ne veux admettre que ce nom-là qui moi ne me rappelle rien. Ta conviction est faite mais tu te trompes, tu te trompes, ma chérie... Tu souffres en dehors de la vérité, tu souffres pour rien... Moi aussi je souffre... Ravalet, Ravalet, il m'a été si difficile de retrouver ce nom... Tu souffres comme en rêve, c'est réel pour toi mais cela n'existe pas, ma chérie... Ton père arrive, adieu, adieu...

— Car essayez de convaincre Marlyne, je vous en supplie ! s'exclama Principaux à peine eut-elle raccroché. Car dites-lui qu'elle doit accepter mes visites, que je ne peux pas vivre sans elles, les visites, car Marlyne me doit au moins ça, car qui sont les victimes dans cette horrible histoire ?

Il était vibrant, loyal.

Ses yeux luisaient de douleur et d'ivresse.

— Je n'ai pas, dit Me Susane dont le regard exprimait probablement, songeait-elle, la même douleur, la même ivresse, je n'ai pas à convaincre Marlyne de quoi que ce soit vous concernant. Ce n'est pas mon rôle, vous le comprenez bien. Je n'ai pas à faire quoi que ce soit qui vous agrée. Seul l'intérêt de ma cliente doit compter pour moi. Est-il dans son intérêt que vous alliez la voir ? C'est tout ce que je dois prendre en considération, vous le comprenez bien.

— Oui oui, dit Principaux avec vivacité. Car oui, essayez, je vous en supplie, de la persuader qu'elle se sentira mieux si elle reçoit mes visites de temps à autre, car nous nous sommes aimés, car nous nous sommes beaucoup aimés, car je souffre et que je souffre moins quand je peux la voir.

Il tapota le côté de ses cuisses, désemparé, laissant alors, comme pris de lassitude, les larmes déborder de ses paupières, rouler dans les profonds sillons qu'il avait entre le nez et les joues.

— Car je souffre, Maître, car je souffre, hoquetait-il.

Car nous souffrons, Principaux, car nous souffrons, ne lui dit pas Me Susane.

Le sang de sa blessure lui semblait maintenant ruisseler à l'intérieur d'elle-même, sans lui causer trop de mal, presque comme si, tout simplement, ses règles étaient arrivées.

Soulagée, elle effleura ses pommettes, ses sourcils, le dessous de ses yeux : ses doigts ne lui signalèrent nulle humidité éloquente.

Elle se leva avec difficulté.

Elle claudiqua vers Principaux, posa sur son épaule une main peureuse, rétive, néanmoins sûre de sa force et de son droit.

Mais qui était Principaux pour elle ?

Y avait-il eu des Majuraux, des Ravalet ?

Y avait-il eu, entre elle et tous ces noms, quoi que ce fût ?

Elle rentra, ce soir-là, à tout petits pas malaisés.

Son genou avait gonflé au point que le tissu du pantalon le comprimait cruellement.

L'air était froid et mouillé, le pavé gelé encore.

Me Susane avait l'impression de ne pas progresser, que ses bottines farceuses la faisaient reculer sur le trottoir quand elle intimait l'ordre à ses pieds d'avancer.

Elle arriva chez elle dans un tel état d'abattement que l'éclat des ampoules allumées partout, et bien qu'elle eût toujours réprouvé un tel gaspillage, lui sembla réchauffer tout autant ses doigts gourds que son cœur endolori et anxieux, comme l'aurait fait un grand feu allumé dans la cheminée, tout exprès pour elle, par un ami, par une mère, par une âme prévenante.

Sharon vint à sa rencontre, suivie de Lila qui marchait en dandinant bizarrement ses hanches rondes.

Surprise, Me Susane s'écria :

— Tiens, Lila, je ne savais pas que tu devais venir aujourd'hui ma chérie !

Lila lui sourit largement, ainsi qu'elle en avait l'habitude avec Me Susane.

— Le papa est venu, expliqua Sharon, il a amené Lila, il avait du travail. Il trouve que je m'occupe bien d'elle, ajouta Sharon avec un air de fierté qui émut Me Susane.

Mais elle ne laissait pas d'être étonnée.

Pourquoi Rudy ne l'avait-il pas mise au courant ?

— Le papa ne pourra pas venir chercher Lila ce soir, reprit Sharon. Il m'a dit que je devais emmener Lila chez moi et la ramener demain.

— Mais comment, Sharon ? Sur votre vélo ? Il a vraiment dit ça ?

Me Susane, soudain consciente que son affolement pouvait effrayer Lila à qui elle trouvait déjà, elle qui la connaissait si bien, une expression plus grave que d'ordinaire, se força à rire, et quoique la douleur de son genou lui devînt à peine supportable.

— J'ai un siège pour enfant sur mon vélo, évidemment, dit Sharon. Sweetie, on y va maintenant ?

Elle noua l'écharpe orange au cou de Lila qui eut le réflexe de se débattre puis y renonça aussitôt, vaincue, se dit Me Susane, par la tendresse avisée, résolue et tranquillement dominatrice de Sharon.

Me Susane eut à peine le temps de serrer Lila contre elle.

Elle sentit alors, dans le cou de la petite fille, une étrange odeur – quelque chose d'aigrelet, d'effaré.

— Tout va bien ma chérie ? chuchota-t-elle hâtivement.

La fillette lui répondit par le vaste sourire à la fois chaleureux, fervent et impersonnel qu'elle réservait à ceux, disait Rudy, qu'elle aimait le plus.

Et Me Susane s'en contenta, sachant pourtant obscurément (mais elle était souffrante et fatiguée !) qu'elle péchait par lâcheté.

Sharon lui avait de nouveau préparé un dîner succulent : crêpes de riz farcies d'un hachis d'agneau à la coriandre, petites pommes de terre sautées avec beaucoup d'ail et de persil, salade d'endives et de chicorée rouge.

Me Susane, ne voulant pas qu'il y eût des restes, mangea plus qu'elle ne l'aurait souhaité.

Elle portait impulsivement, fréquemment la main à l'entaille de son front, qu'elle avait lavée et désinfectée et sur laquelle se formait déjà un coussinet de chair.

Elle se sentait choquée, offensée, rabaissée, comme si quelqu'un lui avait porté à cet endroit un coup terrible, volontairement.

Son repas fini elle appela Rudy.

— Tu ne m'avais pas dit que tu amènerais Lila aujourd'hui.

— Eh bien, dit Rudy d'une voix étonnée, je pensais que c'était entendu comme ça, que je pouvais l'amener dès que j'en avais besoin, non ? Et j'ai aussi demandé à Sharon de faire dormir Lila chez elle cette nuit.

— Oui, dit Me Susane. N'est-ce pas un peu...

Son esprit soudain s'absenta.

Toute mémoire du vocabulaire la quitta.

Que voulait-elle dire ?

Elle n'en avait plus la moindre idée.

— Un peu quoi ? demanda Rudy sur la défensive.

— Un peu… J'ai tellement mal au genou, tu sais, je suis tombée tout à l'heure… Un peu prématuré, voilà.

— Je ne pense pas, dit Rudy d'une voix lente. Tu m'as dit être sûre que Sharon s'occuperait parfaitement bien de Lila.

— Oui, dit Me Susane, je n'ai aucune inquiétude à ce sujet.

— Alors, mon chou, pourquoi Lila ne pourrait-elle pas dormir chez sa nounou ? Si tout le monde est content ?

— Oui, dit Me Susane, oui.

Elle inspira fortement.

— Es-tu certain, Rudy, que Lila est contente ? Te l'a-t-elle bien fait comprendre ?

— Bien sûr, c'est évident. Tu ne trouves pas ?

— Je n'aime pas, dit fermement Me Susane, que Sharon l'emmène chez cette autre patronne qu'elle a près de la cathédrale. Cette femme, nous ne la connaissons pas, après tout.

— Lila m'a clairement indiqué qu'il s'agissait d'une vieille dame très gentille, qu'elle n'a fait d'ailleurs que l'entrevoir et qu'elle ne quitte pas Sharon d'une semelle. Il me semble que tout est en ordre, mon chéri, et que tu t'inquiètes inutilement. Pourquoi d'ailleurs ? Ce n'est pas ton genre, de t'inquiéter sans raison… Je serai chez toi demain matin pour récupérer Lila. Ne te soucie pas d'être là, je m'arrange avec Sharon. C'était bien ce qu'on avait dit, non ?

Me Susane, dont la tête bouillonnait, n'avait aucun souvenir d'un accord systématique qu'elle eût passé avec Rudy pour la garde de Lila.

L'avait-elle oublié ?

Ou Rudy tentait-il, en quelque sorte, de passer en force ?

— Bon, conclut-elle, si tout se passe au mieux pour Lila, voilà le plus important, n'est-ce pas ?

Elle se surprit à détacher soigneusement les mots de cette phrase banale, à les prononcer dans un effort d'articulation ostensible comme si, pensa-t-elle avec effroi, elle avançait déjà les arguments de sa propre défense lors d'un hypothétique procès où seraient appelés à témoigner tous ceux qui n'auraient pas pris, de la vulnérable Lila, un soin suffisant.

Elle partit, le lendemain, avant le retour de Sharon et de Lila.

Chaussée de ses bottes fourrées, elle traîna la jambe jusqu'au tram.

Il semblait bien que son genou eût enflé durant la nuit, à tel point qu'elle avait évité de le regarder ce matin-là, craignant que son œil anxieux, son attention préoccupée n'entraînent son genou à gonfler davantage encore.

Elle prit le tram jusqu'à la prison.

Il lui manquait, dans le récit de Marlyne, quelque chose qui l'intriguait et l'épouvantait, qu'elle aurait préféré ne pas entendre et ne jamais savoir mais qu'elle ne pouvait se dispenser d'apprendre, ne fût-ce que pour éviter scrupuleusement de l'évoquer lors du procès : à quel moment Marlyne s'était-elle rendue à sa propre décision ?

Comment l'idée avait-elle pris, dans son esprit, une tournure réaliste ?

Et depuis quand y songeait-elle ?

Depuis une heure, depuis la veille, depuis des mois ?

Et qu'éprouvait-elle quand la perspective, le rêve, la possibilité de tuer ses enfants advenait en elle ?

Était-ce une flamme ténue que sa raison, que sa tendresse pouvaient souffler aussitôt ?

Était-ce un feu rageur qu'elle se sentait heureuse de ne pouvoir contenir ?

Où se créaient les pensées funestes, dans la chambre, dans la cuisine, sur le trajet de l'école ?

Ou si, peut-être, certaines images de ses cauchemars l'avaient inspirée, convaincue, dévoyée puis persuadée qu'elle devait les rendre concrètes, qu'elle devait ainsi répondre à cet ordre que lui donnaient ses propres songes ?

Combien de fois, dans sa jeunesse, Me Susane n'avait-elle reçu le commandement de rendre au garçon de Caudéran l'offense qu'à son réveil elle n'était plus certaine d'avoir subie mais que ses rêves lui présentaient comme incontestable et terrible !

Car ses rêves suggéraient qu'ils en savaient plus qu'elle, plus et mieux, et qu'à se soumettre à leurs injonctions de vengeance elle profiterait d'une justice bien supérieure à celle de la société avec ses doutes, ses atermoiements, à celle également de son moi éveillé qui, doutant, atermoyant, lui faisait oublier toute idée de châtiment envers celui qui s'était peut-être appelé Gilles Principaux.

Cependant ce ne fut pas Marlyne qui entra dans la petite pièce où l'attendait Me Susane mais une surveillante, seule, porteuse d'un message.

— Elle ne veut pas vous voir.

Elle tendit un bout de papier à Me Susane.

« Mais fichez-moi la paix », lut celle-ci.

— Pouvez-vous lui dire, s'il vous plaît, que je l'attends ? Qu'elle a le droit de changer d'avis et de venir me parler ? Je ne bouge pas.

Me Susane sortit son ordinateur de sa grosse sacoche.

Elle ouvrit un courriel outragé de son client qui aspirait âprement à changer de nom, en réponse à une lettre qu'elle lui avait envoyée et dans laquelle Me Susane exprimait ses craintes que l'administration ne trouvât pas de motif légitime à une telle demande puisqu'elle-même, Me Susane, n'avait découvert nul indice prouvant qu'un aïeul eût participé à la traite d'esclaves, et, du reste, ce nom n'avait jamais été cité par les associations qui travaillaient à dénoncer les négriers en demandant que certaines rues ne portent plus leur patronyme.

Aucune rue de Bordeaux n'avait pris le nom de son client.

Souhaitait-il, lui avait demandé Me Susane, poursuivre sa démarche ?

S'enferrer dans son obsession infondée ?

« Je vous paye pour que vous trouviez et vous devez trouver. Ce nom est celui de l'abjection, je le sais, j'ai entendu des choses dans ma famille. C'est vrai, c'est réel, il y a donc forcément des traces. J'ai consacré des années de ma vie à cette affaire, je n'abdiquerai jamais. Je ne mourrai pas avec ce nom ignoble, il ne sera pas gravé sur ma tombe. Que je le veuille devrait suffire comme motif légitime si nous vivions dans un pays vraiment libre, non ? Qu'est-ce que ça peut faire à l'État que je me choisisse un nouveau nom ? Je ne suis pas désespéré mais exaspéré. Continuez de chercher, Maître ! On finit toujours par trouver, l'univers du Web est infini. Je refuse l'idée que quelqu'un puisse souhaiter venir un jour cracher sur ma tombe. Je le comprends pourtant, ce futur imprécateur. Je crache en pensée sur mon nom, sur la tombe de mon détestable ascendant. Néanmoins je ne veux pas subir une telle injure car je ne la mérite pas, je me bats, comme vous le savez, pour me dégager de l'ignominie. »

Me Susane travailla une petite heure, somnola brièvement.

Elle ne sut si l'avait sortie de sa torpeur un nouvel élancement de son genou ou l'arrivée de Marlyne Principaux que la surveillante fit entrer dans la pièce avec un gentil clin d'œil à l'intention de Me Susane.

Marlyne tira sa chaise de mauvaise grâce en la faisant racler exprès, comme une enfant revêche, sur le sol de béton.

Me Susane grimaça intérieurement.

Sa main voleta vers la blessure de son front, en caressa fugacement les lèvres encore douloureuses quoique bien sèches à présent.

C'était une déchirure brutale, une lésion dénuée d'élégance, avait pensé Me Susane devant la glace ce matin même.

Ne devrait-elle pas aller la faire soigner ? s'était-elle demandé tout en sachant qu'elle ne le ferait pas, qu'elle estimerait toujours, spécieusement, ne pas en avoir le temps.

Elle découvrait sans se le dire qu'il lui était indifférent de se présenter ainsi au monde.

Mais comment oser revoir ses parents le front barré d'une telle flétrissure ?

Marlyne portait le même sweat que la fois précédente.

Il était maintenant constellé de taches graisseuses.

Elle avait enfoui ses poings serrés dans la poche ventrale, cuisses plaquées fortement l'une contre l'autre sur la chaise métallique.

Ses cheveux jaune pâle pendaient le long de ses joues, lesquelles parurent à Me Susane plus pleines qu'auparavant, comme gonflées d'une assurance souveraine et hostile.

Son regard sec s'arrêta sur le front de Me Susane.

— Eh bien ! souffla-t-elle.

L'ombre d'un sentiment de compassion traversa son œil gris-vert.

Me Susane ne put alors s'empêcher de tâter à nouveau son front.

Elle se fit violence pour lui sourire.

— Je suis tombée, le verglas.

— Vous ne vous êtes pas ratée, dit Marlyne d'une voix qui fit soudain penser à Me Susane que ce devait être là sa voix d'avant, charitable, empressée, amicale, sa bonne voix de mère diligente et d'enseignante attentive.

Et Marlyne se pencha en avant comme pour panser, par la tiédeur irradiante de sa peau, la douleur de Me Susane.

Elle se redressa brusquement, reprit son air maussade, hautain, presque provocant.

— Mais j'ai toujours su que mes enfants n'atteindraient pas l'âge adulte, mais je l'ai toujours su mais cette certitude me désespérait, mais ce que je ne savais pas c'est que je poserais mon acte. Mais je pensais qu'un malheur les frapperait de l'extérieur, mais qu'une voiture les faucherait mais qu'un incendie... Mais j'avais des visions de catastrophes à leur sujet. Mais je me réveillais parfois en sursaut, mais j'avais rêvé qu'ils étaient morts et que je n'avais rien pu tenter pour les sauver. Mais je ne rêvais pas qu'ils mouraient de ma main, mais jamais mais jamais. Mais ce matin-là j'étais très abattue. Mais je pensais qu'un malheur allait arriver à mes enfants mais que ferais-je alors sans eux ? Mais enfermée avec M. Principaux ? Mais j'ai fait couler le bain sans savoir vraiment s'il se passerait quelque chose. Mais j'écoutais une émission de philosophie sur France Culture mais ils parlaient de Levinas mais ils ont cité : « Le visage est ce qui nous interdit de... » Mais cette phrase m'a plu mais vous le voyez mais je m'en souviens. Mais les enfants ne faisaient aucun bruit dans la maison, c'étaient de bons enfants mais ils faisaient bien attention à moi mais ils détestaient me voir triste mais ils m'aimaient je crois. Mais ils avaient peur pour moi, mais je crois, oui. Mais Jason me demandait souvent : Ça va maman ? Mais il pouvait le demander dix fois par jour mais toujours hors de portée d'oreilles de M. Principaux qui se serait fâché. Ça va maman ? Mais j'entends encore sa petite voix soucieuse, mais je revois si bien son sourire content quand je lui répondais : Très bien mon chéri, mais alors je l'embrassais mais alors je l'embrassais de nombreuses fois dans une journée mais il n'était rassuré que peu de temps mais je crois qu'il sentait en moi, comme il était le plus grand, un désordre, mais un désordre oui, un désordre dans mon esprit hagard et dans mon cœur amer amer amer. Mais Jason me comprenait bien mais il n'a pas accepté de mourir mais j'ai dû lutter avec lui mais nous avons lutté ensemble étreints et serrés dans l'eau tiède du bain qui giclait bruyamment. Mais quand je me suis levée le matin je ne savais pas que je le ferais. Mais je savais comme chaque jour que mes enfants chéris me seraient enlevés mais je ne savais pas comment ni quand mais juste qu'ils le seraient et que... Mais j'ai hâté ce moment mais je n'avais pas le droit de le faire mais je croyais qu'ils s'en iraient moins douloureusement si c'était moi qui… Mais moi qui posais cet acte, mais moi qui les aimais et les choyais. Mais je le savais je le savais mais je savais que nous étions destinés au plus grand des malheurs. Mais je me suis levée comme chaque matin mais j'avais comme chaque matin le cœur plombé mais ni plus ni moins que d'habitude. Mais j'ai versé doucement de l'eau sur le crâne de Julia pour rincer le shampooing mais j'ai plongé l'arrière de son crâne dans l'eau pour mieux rincer mais le reste a suivi, son visage, son cou mais alors je ne pouvais plus revenir en arrière et je savais qu'était arrivé ce moment dont la pensée m'épouvantait depuis leur naissance mais je savais alors oui. Mais je pensais mais je pensais ça y est c'est échu et dans notre maison entre le malheur pour toujours. Un grand calme est descendu sur mon âme car c'était enfin arrivé car je n'aurais plus à le craindre puisque c'était arrivé. Mais c'est pourquoi, Maître, mais c'est pourquoi nous ne devons rien reprocher à M. Principaux.

Marlyne se mit à transpirer abondamment.

Me Susane tendit la main vers elle, sachant qu'elle ne pourrait, de sa place, la toucher.

Elle voyait sa main flottante, tremblante, doigts écartés entre elles deux.

Ne t'approche pas davantage, aurait traduit quiconque fût entré à cet instant.

Mais était-ce bien ça ?

Rien de ce qu'avait dit Marlyne n'avait encore atteint, chez Me Susane, la source d'où s'écoulent soudain compréhension et pitié.

Cette femme, songeait confusément Me Susane, n'était pas seulement quelqu'un devant qui elle se tenait mais *quelque chose*, et cela lui demeurait étranger.

Non pas : Qui est Marlyne ? Mais : Qu'est-ce que c'est donc que Marlyne ? se demandait-elle, désorientée et toute colère envers cette femme d'un coup retombée.

Quand, aux alentours de midi, elle rentra chez elle, elle fut étonnée de voir que Lila était encore là, ou de nouveau là, avec Sharon.

— Le papa n'est pas venu chercher Lila ?

— Non, dit joyeusement Sharon.

Elle fixa alors, sans quitter son air d'alacrité, le front de Me Susane.

Puis, comme par discrétion, elle détourna le regard.

Elle était joyeuse, épanouie, soulagée.

Me Susane ne l'avait jamais vue ainsi.

Elle s'agenouilla devant Lila qui, assise sur une chaise de la cuisine, lui parut légèrement différente de la veille, comme amenuisée, rétrécie, non pas dans le sens où cette petite fille replète eût maigri mais comme si sa personne entière se fût amoindrie, réduite, écrasée.

Une esquisse de sourire déformait légèrement sa bouche.

Me Susane la pressa contre elle.

— Ça va mon petit ?

Lila posa son front moite sur la blessure de Me Susane.

Une terrible sensation de brûlure fit gémir Me Susane.

Il lui sembla que sa plaie s'embrasait, stimulée à la fois par son contact avec le front de Lila et par ce que l'enfant tentait de lui faire connaître.

Au prix d'un grand effort elle l'éloigna avec douceur.

Elle souffrait tant qu'elle aurait pu, par réflexe, écarter Lila d'une violente poussée !

— Lila est drôle, je trouve, chuchota-t-elle à l'oreille de Sharon.

— Oui, dit Sharon en riant gentiment, Sweetie est drôle, tout le monde l'aime beaucoup.

— Oh, dit Me Susane penaude, excusez-moi, je voulais dire qu'elle est bizarre, pas comme d'habitude, non ?

— Eh bien, dit Sharon après un silence, Sweetie est gaie et bien contente d'être avec moi. Je ne sais pas comment elle était avant. On est bien toutes les deux, voilà.

Elle leva vers Me Susane un regard empli de réprobation, de défiance et, presque, d'aversion.

— Êtes-vous retournée chez Mme Principaux ? souffla Me Susane.

Sa blessure en feu incommodait peut-être Sharon, chauffait péniblement le visage de celle-ci, aussi Me Susane recula-t-elle d'un pas prudent, veillant à protéger son genou meurtri.

— Oui, dit Sharon d'une voix froide, circonspecte. Le papa a dit que c'était une bonne chose.

Me Susane haussa le ton malgré elle :

— Je ne pense pas, Sharon, qu'il ait dit que c'était une bonne chose mais simplement qu'il n'y voyait pas d'inconvénient, contrairement à moi. Et, Sharon, dites-moi...

Soudain la tête de Me Susane lui tourna.

Elle tituba jusqu'au salon, se laissa tomber dans un fauteuil.

Sharon resta à distance, sceptique, profondément réprobative - comme devant un spectacle provocant et licencieux qu'elle eût jugé artistiquement lamentable.

— Lila a-t-elle rencontré Mme Principaux aujourd'hui ? murmura Me Susane.

— C'est possible, répondit Sharon avec précaution. Elle a peut-être vu la vieille dame, je ne sais pas. Sweetie aime bien fureter dans l'appartement quand je passe l'aspirateur. C'est une vieille dame très douce, très ordinaire. Vous ne devez pas vous inquiéter.

D'une voix apitoyée, elle ajouta :

— Où est le mal ? Vous le craignez mais où est-il ? Ce n'est qu'une vieille dame qui ne peut plus sortir de son appartement, la pauvre. Ce n'est pas là-dedans que le mal circule.

Sharon eut alors un rire bref, averti, que Me Susane, qui avait toujours naïvement considéré Sharon comme une femme solide mais foncièrement simple, retenue et déférente, entendit non sans aigreur.

Sharon l'avait toujours, lui semblait-il, regardée du haut de sa propre respectabilité, et Me Susane, inexplicablement, n'avait été que saleté mesurée à cette aune.

Oh elle l'avait bien senti !

Et voilà que Sharon parlait de quelque chose qu'elle savait manifestement identifier, qui ne lui était aucunement étranger, quelque chose d'impur et de funeste sur quoi elle avait son idée.

Que n'avait-elle alors jaugé Me Susane avec mansuétude !

Et comment son intelligence pragmatique de l'abjection n'avait-elle pu lui signifier que Me Susane devait être gardée ?

Gardée du côté de l'honneur, de la probité, de l'innocence ?

Car Me Susane n'avait jamais commis de forfait.

— Non, madame, le mal n'est pas chez elle, reprit Sharon avec véhémence, il n'habite pas chez la vieille dame où je travaille. Vous voulez savoir où il habite ? Je vais vous le dire, moi.

Elle leva le bras, désignant le lointain d'un index vindicatif.

— Madame, l'adresse du mal elle est là-bas, chez moi. À Maurice, dans ma maison, il s'est établi et ses… ses ramifications m'atteignent jusqu'ici, oui madame. Il ne suffit pas de fuir, il faudrait en plus couper tous les tronçons. Le papier important, celui que vous me demandez depuis des mois, il est prisonnier là-bas, je ne pourrai jamais le faire sortir, voilà la situation. Oui madame, le mal, je connais son adresse en ce moment. Il se déplace à son gré. En ce moment il loge chez moi, là-bas, il s'y trouve décidément bien et personne ne peut rien, on est bien obligé de l'accueillir et de lui faire bonne figure. Alors, oui madame, je vous le dis, cessez de penser à Mme Principaux car vous perdez votre temps, son appartement est désert et normalement pur et Sweetie ne court aucun danger chez elle !

Sharon, orgueilleusement, releva sa petite tête pour appuyer son propos.

Elle avait parlé sans regarder directement Me Susane mais, d'un œil dur, savant, un peu las, elle observait les mains ou les épaules de celle-ci.

La porte d'entrée s'ouvrit, Rudy s'avança dans le couloir, appelant Lila d'une voix chaude et tendre.

Tiens, se dit Me Susane stupéfaite, Rudy a la clé maintenant ?

Elle se leva avec effort.

— Rudy ! lança-t-elle d'une voix amicale, je ne savais pas que tu avais la clé de chez moi !

— Ah tu es là !

Il se tourna vers Me Susane, l'enlaça brièvement.

Elle s'apprêtait à lui expliquer comment elle s'était fait au front une blessure aussi impressionnante mais, Rudy ne l'évoquant pas, ne semblant même pas la remarquer, elle se tut.

— Tu ne te souviens pas de m'avoir donné ta clé ?
Il semblait surpris, amusé et narquois.
— Moi, je t'ai donné ma clé ? murmura Me Susane.
— Mais oui, allons ! Il y a un bon moment d'ailleurs.
— Et pourquoi aurais-je fait une chose pareille ?
Elle s'efforçait de donner à sa voix une note désinvolte mais une colère sourde, inquiète la poussait à défier Rudy – son visage satisfait et taquin, nonchalant et matois.
Elle n'avait aucun souvenir d'avoir confié à Rudy un double de sa clé, ni à personne en dehors de Sharon.
Pourquoi essayait-il de la tromper ?
— Eh bien, dit Rudy soudain sérieux, tu pensais à juste titre que ce serait plus simple, avec Lila, que nos allées et venues seraient facilitées...
— Lila ne venait pas si souvent que ça, avant. Elle se partageait entre sa mère et toi, et de temps à autre elle allait à La Réole, chez mes parents. Je ne vois vraiment pas pourquoi, répéta Me Susane d'une voix plus perçante qu'elle ne le souhaitait, je t'aurais donné ma clé.
— Tu l'as fait, voilà tout ! s'exclama Rudy avec enjouement. Et tu sais bien que tu es pour Lila la seule maman, la vraie ! N'est-ce pas ma chérie ? chantonna-t-il vers Lila qui avait quitté la cuisine (sa petite chaise de réminiscence) pour venir à sa rencontre, bras levés mécaniquement, peau grise, corps renfoncé, martelé, et deux yeux noirs comme repoussés loin de la surface du visage.
Comment, se demandait Me Susane abasourdie, pouvait-elle être la seule à constater que l'enfant n'allait pas bien du tout ?
Rudy, qui avait toujours porté aux sentiments de Lila une attention anxieuse, perspicace, d'autant plus subtile qu'elle était tout imprégnée de culpabilité, l'enlaçait

affectueusement comme à son habitude mais, se dit Me Susane, sans l'avoir regardée ainsi qu'il le faisait d'ordinaire, quand il posait ses grandes mains sur les épaules de Lila, s'accroupissait à sa hauteur et rugissait de cette voix d'ogre que l'enfant adorait :

— Quand vais-je enfin pouvoir me régaler de cet agneau ?

— Tout s'est bien passé ? clama-t-il vers Sharon d'une voix excessivement gaie.

— Oui, dit Sharon avec dignité (oh, son élégance inflexible, sa décence naturelle ! Son instinctive réticence à descendre au niveau d'une joie suspecte !). Sweetie et mes enfants se sont bien entendus. Ils ont joué tous les trois puis ils se sont endormis presque en même temps.

— Ah je suis bien content ! s'écria Rudy. Alors, ma Lila, tu voudras retourner chez Sharon ? Ça te ferait plaisir, dis-moi ?

La fillette enfouit son visage dans la cuisse de Rudy.

Elle semblait chercher à s'y engouffrer tout entière afin d'y reprendre une paisible et, si possible, infinie gestation.

Rudy, crut observer Me Susane, en éprouva une sorte de gêne.

Il écarta doucement Lila.

Pourquoi donc ne pouvait-il accepter qu'elle éprouvât une profonde, intime satisfaction à se penser issue de la bonne cuisse rassurante de son père, et seulement de là ?

Quand la mère était si chancelante, si douteuse, si contestable !

Une fois Rudy et Lila partis, Me Susane avala rapidement les restes exquis de précédents repas que Sharon avait assemblés (boulettes frites de riz et de porc, chou en gratin, compote de pommes) pendant que Sharon feignait d'être occupée au ménage de l'appartement.

Puis, dans le vent froid, la froide, lugubre lumière de cet énième après-midi d'un hiver sans fin, Me Susane s'en alla rejoindre son cabinet tandis que Sharon sortait également, honnête et assurée, ne se cachant plus, pour aller effectuer chez Mme Principaux son temps de travail quotidien.

Elle n'en dit rien cependant.

Me Susane lui fut reconnaissante d'avoir renoncé à la menue tromperie qu'aurait constituée le fait, pour Sharon, de quitter l'appartement après elle.

Ainsi Sharon ne lui mentait plus par omission.

Elle imposait à Me Susane sa manière de diriger sa vie, d'organiser son travail et de gagner un argent dont elle avait grand besoin.

Sharon ne lui mentait plus, ce n'était plus nécessaire, parce qu'elle avait un cœur auguste et que Me Susane à tout ce qui l'avait indignée paraissait maintenant consentir.

Elle arriva au cabinet dans un tel état d'exténuation qu'elle se laissa tomber dans son fauteuil et somnola, oubliant de la sorte toute douleur (genou meurtri, front incandescent).

Le timbre grêle, impérieux d'un sms la fit sursauter, elle qui en recevait si rarement.

Fait curieux (non, stupéfiant et de mauvais augure !), il émanait de son père, M. Susane, qui jamais encore ne l'avait appelée sur le portable ni ne lui avait envoyé de message, laissant cette pratique à Mme Susane par une pudeur d'homme qui ne prend des nouvelles que s'il y a raison de s'inquiéter sérieusement de quelque chose et délègue à sa femme, quoique venant ensuite aux informations, les correspondances futiles.

De sorte que Me Susane n'avait pas souvenir d'avoir jamais parlé à son père au téléphone ni de s'être une seule fois entretenue avec lui, à la maison, hors de la présence de Mme Susane.

« Adieu ma fille, c'est moi, ton père, qui t'écris, ta mère n'est pas au courant et n'a aucun besoin de l'être, je veux dire plutôt qu'elle a besoin en ce moment de ne pas l'être, alors je compte sur toi pour ne pas lui parler de ce message. Adieu ma fille, tu nous as fait beaucoup de mal sans le vouloir je pense et ta mère est très perturbée, ce qui me perturbe grandement aussi. Elle passe son temps à chercher un nom. Elle veut te donner le nom que tu cherches mais elle ne le peut pas, c'est pourquoi elle invente. Elle ne le sait pas mais elle invente, des noms lui arrivent en rêve et elle les lance vers toi comme si c'était réel. Majuraux, Ravalet, un autre encore qu'elle m'a dit et que j'ai oublié – quelque chose comme Robineau, tu le vois, c'est proprement ridicule. Elle se refuse à citer le nom de Principaux, puisqu'elle a compris que c'est celui que tu veux entendre et qu'elle sait qu'elle commettrait un faux témoignage en cédant à ta demande implicite, presque à ta prière – elle sait qu'elle assouvirait ta faim au prix d'un mensonge insensé et dangereux : elle ne connaît pas de Principaux, n'en a jamais connu. Adieu ma fille, car ta mère perd pied sous mes yeux. Je ne peux pas permettre un tel engloutissement. Alors adieu ma fille, car c'est le seul moyen de sauver ta mère. Ne lui réclame plus de nom, ne la force plus à se rappeler je ne sais quoi qui n'a sans doute jamais existé, ne la contrains plus de te satisfaire en bâtissant en elle-même un épouvantable théâtre qu'elle prend maintenant pour la vraie vie. Adieu ma fille, et sois assez forte pour ne pas tenter de nous joindre avant que le tact, la sagesse et la bonté te soient revenus – surtout la sagesse, d'où procèdent toutes les qualités. »

Le même raclement énigmatique tirait chaque matin Me Susane d'un sommeil simple, fortifiant, d'une parfaite durée correspondant précisément aux huit heures qui s'écoulaient entre son assoupissement dans ce nouveau lit et son éveil au son de ce frottement, de ce crissement venu de l'extérieur, dont elle se plaisait à ne pas tenter de comprendre l'origine – à quoi bon ?

Ce bruit mystérieux la réveillait au moment parfait, quand elle avait dormi tout son saoul et juste avant que des images vénéneuses et stériles ne profitent de sa somnolence pour l'inquiéter obliquement.

Qu'est-ce qui grattait sous sa fenêtre ?

Elle apprendrait plus tard, presque malgré elle, que Christine, sa logeuse et la tenancière de l'épicerie du rez-de-chaussée, passait chaque matin, très tôt, un dur, un lourd balai dans la cour – ainsi montait jusqu'à la fenêtre de Me Susane le signal qu'il lui fallait se mettre debout, ce qu'elle faisait avec un empressement inédit et par simple impatience de plonger son corps convalescent dans celui, revigorant, âpre, sans délicatesse ni beauté certaine, de la ville où l'avait projetée son étrange maladie.

Même après que Christine lui aurait dit qu'elle balayait chaque matin, très tôt, la petite cour derrière l'épicerie, Me Susane, doucement extraite de sa nuit, continuerait de se demander, contente, détachée : d'où vient donc un tel son, comment se fait-il que je ne le reconnaisse pas ?

Tant il lui plairait, ici, de suspendre tout réflexe de corrélation entre ce qu'elle savait et ce qu'elle percevait, ou ce qu'elle désirait et ce qu'on lui offrait – ainsi du breakfast qu'elle prenait, selon leur accord, en compagnie de Christine et de Ralph et qui, fort éloigné de ce qu'elle aimait manger le matin, avec ses beignets pimentés, son thé trop fort, sa molle margarine, ne lui plaisait nullement et ne lui importait pas davantage – cela allait très bien parce que c'était ainsi et qu'elle ne se souciait plus, alors, ni de ses goûts ni de ses préférences ni, presque, de ses valeurs morales – un soulagement.

Ce matin de mars elle se leva en se promettant vaguement de parler à Christine et à Ralph, une fois avalé le petit déjeuner, de ce qui l'avait amenée chez eux.

Sa chambre, déjà chère à son cœur quoique glacialement carrelée et piètrement meublée d'un lit en pin verni, d'une petite armoire bancale et d'une table de jardin en plastique vert, donnait à l'est.

La blanche, l'étincelante lumière matinale ruisselait en ondes froides sur les carreaux gris du sol, sur les murs ternes et nus, l'irrécusable pauvreté du lieu, sa laideur franche, indifférente.

Me Susane s'habilla, soigna devant la glace du minuscule cabinet de toilette la cicatrice toujours purulente de son front, puis elle se rassit sur son lit, attendant le moment du petit déjeuner.

Elle ne voulait pas déranger ses hôtes en se présentant ne fût-ce que deux minutes avant l'heure prévue.

Elle devinait en Christine et Ralph, malgré leur affabilité commerçante, un couple aux mœurs rigoureuses que l'inexactitude, quelle qu'elle fût, contrariait certainement et conduisait à juger avec sévérité la personne qui en faisait montre.

Non que Me Susane se préoccupât outre mesure de ce que ses logeurs pensaient d'elle.

Mais il lui semblait, chez eux (*et son visage qu'elle espérait ardemment honnête face au leur qui l'était assurément !*), il lui semblait représenter Sharon.

L'ambassadrice de la femme fière, ambitieuse, irréprochable qu'était Sharon, la messagère de toutes ces qualités et d'un tel succès puisque Christine et Ralph ne doutaient pas que Sharon eût « réussi son exil », se devait d'être exemplaire, hors d'atteinte de toute ébauche, de toute pensée de reproche.

Ainsi Me Susane avait pour devoir de se confondre avec Sharon, avec l'être enviable et bien protégé, victorieux et parfaitement cuirassé que semblait être Sharon pour son frère et sa belle-sœur.

Voilà pourquoi, assise sur son lit dans l'éclat presque insoutenable de l'aube à la fenêtre dépourvue de rideau, elle scrutait l'égrènement des minutes sur son téléphone.

Son regard se portait de temps en temps, fugacement, sur ses pieds si blêmes qu'ils paraissaient verdâtres sous la lanière des tongs, sur ses genoux bizarrement proéminents, ses cuisses étroites – sa propre chair naguère si parfaitement familière et qu'elle peinait maintenant à reconnaître.

N'était-il pas étrange, se demandait-elle, que Sharon,

Rudy, que Lila même à sa façon, eussent de son corps une connaissance qui lui faisait défaut ?

Selon toute vraisemblance, ils avaient fait du pauvre corps de Me Susane, de son corps patraque, égaré, le terrain de soins attentionnés, intelligents, inquiets et amicaux, et d'une sollicitude qu'elle n'aurait guère crue possible quand on n'éprouvait pas, à l'égard de la personnalité que ce corps abritait, de l'amour.

Cela signifiait-il, alors, qu'elle était aimée ?

Me Susane, à cette idée, se mettait à trembloter sur son lit.

Le flamboiement de l'aurore frappait son front, ravivant, lui semblait-il, sa plaie suppurante et lui donnant matin après matin la même migraine légère, enivrante.

Elle ne bougeait pas, à la fois absorbée, concentrée et abrutie.

Cet état lui rappelait non sans un trouble plaisir celui d'avant, des semaines précédentes lorsque, alitée chez elle à Bordeaux, de toute évidence souffrante bien que n'étant atteinte d'aucune affliction reconnaissable, elle percevait plus qu'elle ne le voyait le volettement empressé dans sa chambre d'une Sharon efficace, prévenante, et d'un Rudy guère moins énergique, guère moins décidé à la sortir d'affaire.

Tous deux ondoyaient autour de son lit comme des feux follets, agilement accordés dans le seul but de soigner et de veiller Me Susane dont l'esprit vacillait, le corps chancelait.

Ils chuchotaient sans qu'elle imaginât qu'ils conspiraient.

Elle devinait, au contraire, qu'ils se transmettaient les informations susceptibles de chasser au mieux la peine qui l'habitait.

Cette peine, Me Susane, dans son égarement, s'imaginait pour toujours enchaînée à elle tandis que ces deux gardiens inattendus, ces sauveurs familiers semblaient s'être donné pour tâche de l'en délivrer.

Il n'est nulle charge, nul chagrin, nulle meurtrissure dont nous ne puissions, par notre volonté aimante, te soulager, lui signifiait le ballet pudique de leurs deux silhouettes tournoyant autour d'elle.

Il lui arriva de réclamer ses parents mais son propre cri aviva une douleur nouvelle puisque M. et Mme Susane, selon toute évidence, l'avaient répudiée.

— Ils ne viendront pas, ma chérie, lui dit Rudy d'une voix douce.

Qu'en savait-il cependant ?

Avait-il lu le message de son père ?

S'était-il emparé de son téléphone ?

Comment, même en ce cas, pouvait-il être aussi certain que M. et Mme Susane, tout grief mis de côté et la question Principaux provisoirement oubliée, ne s'empresseraient pas de répondre à l'appel de leur fille malheureuse, alitée, leur unique enfant que le chagrin de vivre soudain terrassait ?

Elle croyait s'entendre demander à Rudy : Veux-tu bien essayer de les joindre tout de même ?

Elle ne pouvait distinguer si elle parlait en rêve ou véritablement, s'il avait été impossible à Rudy de la comprendre ou s'il avait feint de ne pas l'entendre, pour son bien et parce qu'il savait, lui, de source mystérieusement sûre, que les parents de Me Susane ne souhaitaient plus avoir commerce avec elle.

Alors elle s'agitait, les voix habituellement retenues de son for intérieur hurlaient soudain sans lui procurer le moindre soulagement – rage vaine, indignation piteuse, stérile.

Une somnolence opportune engloutissait ces questions.

Elle s'assoupissait puis se réveillait d'humeur différente, confiante, fataliste.

Rudy lui passait sur le visage un tissu humide et doux, tiède et parfumé.

Elle se plaisait à croire que cette fragrance (muguet, seringa ?) provoquait son réveil plutôt que la sensation des doigts délicats de Rudy sur ses joues, son front, le coin de ses yeux, les ailes de son nez – si gentils, si attentifs ces doigts qu'elle en était écrasée d'une forme inédite de tristesse.

Car Rudy, au temps où il l'aimait, lui avait-il jamais manifesté une telle bonté ?

Ou oui, et elle s'était appliquée à la méconnaître ?

À présent, assise sur son nouveau lit dans la lueur incandescente du petit matin, comme lui semblait loin le soir où elle était rentrée du cabinet après avoir lu le message de M. Susane !

Elle sentit une torpeur l'envahir.

Elle se redressa, vérifia l'heure : quelle honte pour elle, et pour Sharon par ricochet, si elle arrivait en retard au petit déjeuner !

Bien qu'un gros repas ingurgité dès l'aube ne lui procurât rien de bon, ni plaisir ni bienfait, elle aimait à présent retrouver Christine et Ralph autour de la table sévère de leur petite cuisine à l'arrière de l'épicerie, et aucun des trois ne parlait sinon pour se passer la margarine ou le poivre.

Ralph, le frère de Sharon, avait les yeux gris pâle de celle-ci et son visage menu, rétréci comme par économie naturelle – point de surface de chair inutile, joues minces, front étroit, menton invisible, et le nez court, la bouche bien modelée mais petite.

Christine, sa femme, qui en avait dès l'abord imposé à Me Susane, se tenait forte et droite et toute sa personne dense et ample, pleine d'une chair dure, contenue, vigoureuse, ses yeux froids, son air stoïque avaient exclu pour Me Susane toute éventualité de l'enjôler au moyen de ses propres qualités – son état de convalescente, son titre d'avocate, son amitié avec Sharon.

Christine, de toute évidence, ne s'en laissait jamais conter.

Me Susane, venue pour les persuader ou leur arracher d'une quelconque façon, honnête ou non, ce qu'ils voulaient garder honnêtement ou non, s'inclinait en pensée devant la sèche incorruptibilité de Christine, quand bien même s'appuyait-elle, cette vertu de son hôtesse, sur une indélicatesse ou une forfaiture.

S'était-elle introduite chez eux pour les convaincre ou pour les tromper ?

Pour leur faire entendre raison ou pour les mystifier ?

Savait-elle encore, du reste, pratiquer l'un comme l'autre, que ce fût convertir ou duper ?

Me Susane, assise sur son nouveau lit et surveillant scrupuleusement l'écoulement du temps sur son téléphone, se prenait à douter de tout ce qu'elle avait su à son propre sujet.

Elle avait un souvenir brumeux des quelques semaines pendant lesquelles Sharon et Rudy l'avaient soignée mais elle se rappelait avec une précision presque fâcheuse son retour désespéré à la maison, après avoir quitté son bureau, verrouillé la porte en se disant qu'elle ne reviendrait jamais, qu'elle n'avait aucun des attributs d'une avocate respectable et que même ses parents, seuls êtres au monde à l'aimer sans condition, à présent la soumettaient au jugement le plus cruel mais le plus exact certainement : elle avait failli en tout point.

Personne qu'elle n'eût déçu.

Jusqu'au jeune Principaux ou Majuraux ou Ravalet dans la maison de Caudéran qu'elle avait, s'était-elle souvenue brutalement en fermant la porte de son cabinet, désappointé pour un motif que sa mémoire ne parvenait à saisir – elle le revit soudainement, ce jeune homme qu'elle avait surpris par ses propos, par l'éclat de son intelligence affolée, elle le revit lui montrant la porte d'un mouvement dédaigneux, la porte de cette chambre merveilleuse qu'il lui avait permis de connaître et d'où il la chassait avec mépris sans qu'elle pût se rappeler pourquoi.

Mais ce qu'elle se rappelait soudain, violemment, c'était sa propre conscience du dépit que le garçon éprouvait, d'une contrariété profonde qu'elle avait suscitée sans le vouloir.

Qu'avait-elle donc fait, dans cette chambre, qui provoquât à son encontre le dégoût du garçon comme celui de son père qui spéculait ?

N'y avait-il pas là une contradiction ?

Ce qu'elle avait fait aurait pu exaucer le garçon et offenser le père, ou désappointer le garçon et soulager le père, mais comment comprendre qu'elle se fût attiré l'antipathie des deux, celle du jeune homme longtemps auparavant, quand il lui avait signifié d'un geste qu'elle devait quitter sa chambre, et celle de son père qui la bannissait aujourd'hui du tendre royaume des Susane, son père qui n'avait rien vu, rien su et qui à présent poursuivait des chimères ?

Pourtant, si contradiction il y avait, n'en était-elle pas la seule responsable ?

De quelle innocence pouvait-elle se targuer quand elle avait amené son propre père à forger de pénibles rêveries et sa mère à composer des patronymes de coupables ?

Et le garçon de Caudéran, qu'aurait-il à dire de l'enfant qu'elle avait été face à lui, qui peut-être l'avait pris dans les rets d'un prestige certes effaré mais néanmoins puissant et corrupteur ?

De quoi l'accuserait-il aujourd'hui, non sans raison peut-être ?

Me Susane avait rejoint son appartement dans un état de grande faiblesse morale.

Elle s'était déshabillée hâtivement puis fourrée dans son lit, et son genou lui faisait mal et la plaie de son front lui semblait dévorer doucement sa figure entière.

Elle avait éclaté en sanglots, de gros bouillons de larmes et de morve qui l'avaient consternée.

Oh est-ce moi qui pleure ainsi, et pour quelle raison et à quoi cela sert-il ?

Elle pleurait encore quand Sharon était arrivée, avait allumé en chantonnant toutes les lumières puis s'était tranquillement aperçue de la présence de Me Susane dans la chambre.

— Eh bien, eh bien, avait-elle murmuré.

D'une main pragmatique, efficace autant que bienfaisante, elle avait lavé le visage, les mains et les pieds de Me Susane, elle les avait baignés d'une façon qui paraîtrait toujours miraculeuse à celle-ci.

Car la source de ses plaintes s'était alors asséchée.

Et Sharon lui avait apporté un bouillon de volaille épicé, confectionné si promptement que la seule force performative de sa volonté semblait l'avoir fait naître.

Me Susane avait ensuite glissé dans un étrange sommeil.

Elle dormait tout en ayant conscience de dormir et de participer lointainement à ce qui se passait autour d'elle.

Ainsi avait-elle senti dans sa chambre la présence de Rudy et de Lila, de leurs deux corps surgis de la ville froide, exhalant le curieux effluve d'une transpiration glaciale et l'odeur non moins puissante de leur anxiété.

Ils s'inquiétaient pour elle !

Rudy remontait tendrement la couette au ras des joues de Me Susane, comme elle aimait, et Lila posait une main furtive sur son front balafré, provoquant chez elle un tressaillement de douleur mais, dans le même temps, un transport de gratitude envers Lila, seule à avoir remarqué, visiblement, que Me Susane était blessée.

Lorsque, émergeant de ces limbes de sommeil, elle parlait à Rudy ou à Sharon, elle ne parvenait pas à déterminer si elle s'exprimait à voix haute ou intérieurement, ni s'ils l'entendaient ou, pour la ménager, faisaient semblant.

La première chose qu'elle pensait avoir dite se rapportait à Lila.

— Ne la laisse plus aller chez Mme Principaux, ne permets plus à Sharon de l'emmener là-bas !

Dans son souvenir elle suppliait, de nouveau tourmentée, fiévreuse, et Rudy la rassurait :

— Ne t'inquiète pas, Lila ne fréquente que des gens sûrs et je veille, tu sais, sur mon enfant depuis toujours.

— Mais tu ne connais pas les Principaux, tu peux les

croire dignes de confiance alors qu'ils ne le sont probablement pas ! s'écriait Me Susane.

Mais pouvait-il l'entendre ?

De toute façon, que comprenait-il de tout cela ?

Il n'était pas averti.

Il ignorait ce qu'elle savait, ce qu'elle sentait.

Elle voyait bien, elle, même si elle émergeait l'esprit confus de ses assoupissements en bas-fonds, que Lila avait changé.

Et, grondait-elle dans ses demi-rêves, ne t'avise pas de me dire qu'elle entame sa puberté.

Lila avait la figure pétrifiée, contractée et comme voilée d'indifférence, d'une enfant qui souffre, remarquait avec effroi Me Susane depuis le lit de ses propres terreurs.

Son lit de Port Louis était celui d'une renaissance.

Ainsi songeait-elle, noyée de lumière, attendant religieusement le pesant breakfast.

Elle allait rencontrer de nouveau Christine et Ralph et se devait de déterminer qui elle était pour eux : une crapule ou un ange pacificateur ?

Elle aimait ce couple travailleur, ascétique, solitaire – méchant peut-être, comme le pensait Sharon ?

Des puritains dont les actions en apparence malveillantes devaient être estimées à l'aune de leur système moral, en fonction de quoi elles devenaient cohérentes, nécessaires, peut-être même salutaires.

Alors l'accusation de méchanceté tombait d'elle-même.

L'alarme du téléphone tira Me Susane de sa rêverie vigilante.

Elle se leva prestement.

Elle sortit sans bruit de sa chambre, agile et feutrée dans ses tongs comme l'étaient Christine et Ralph qui, quoique vivant, parlant, dormant dans une pièce séparée de la sienne par une seule cloison, ne lui faisaient jamais sentir ni se rappeler qu'ils étaient là.

Et même si leur souffle et le sien se mêlaient sans doute quelquefois grâce à des interstices dans la paroi, des fentes minuscules d'où sortaient des insectes microscopiques, Me Susane ne les entendait jamais.

Elle cohabitait avec des âmes.

Pourvu, se disait-elle, qu'ils présagent la même chose à mon sujet ! Qu'ils me voient comme une simple *force* !

Extatique, elle avait assuré à Sharon :

— Je ne rentrerai pas bredouille.

Sharon, ordinairement distante, l'avait serrée dans ses bras fins, avait posé son front sur le menton de Me Susane et murmuré :

— Oui, je sais. Vous ne reviendrez pas, de toute façon, si vous n'avez pas réussi.

Me Susane avait un souvenir limpide du moment où elle avait compris, entendu, où elle avait su dans quelle direction devait aller son souhait désespéré d'influer avec bonheur sur une situation pénible.

Alors que Sharon et Rudy, sans doute, la croyaient endormie, et à l'instant de quitter sa chambre qu'ils avaient aérée, nettoyée, rangée, Sharon avait parlé à Rudy, d'une voix faussement désinvolte (avait pensé Me Susane), de son acte de mariage qu'elle ne parvenait pas à obtenir et que Me Susane s'obstinait à lui réclamer.

— Mais, moi, je ne peux rien faire, avait dit Sharon en haussant les épaules. Deux personnes l'ont en leur possession. Ils ne veulent pas me l'envoyer. Qu'est-ce que je peux faire ?

Sharon, parlez-moi directement ! avait crié Me Susane en silence avant de se raisonner, soudain fort calme : À quoi bon puisque je l'ai très bien entendue.

Puis à cet instant, non moins placide, presque sereine, cette illumination : Ce papier, je dois aller le chercher.

Et que Sharon, lorsque Me Susane lui fit part de sa subite et fervente résolution, eût simplement paru l'avoir attendue, escomptée, prouva à Me Susane que Sharon la comprenait avant elle-même.

— Oui, bien sûr, dit Sharon. C'est la seule solution. Je ne sais pas si on vous reverra. Il n'y a rien d'autre à faire. Sinon, un jour ou l'autre, je serai renvoyée avec mon mari et les enfants. Vous allez nous sauver.

Me Susane, assise bien droite devant Christine et Ralph à la table du breakfast, ne put s'empêcher de sourire en se rappelant les mots de Sharon, et bien qu'elle se sentît par ailleurs, au fond d'elle-même, intimidée et tremblante et plus anxieuse de leur plaire dignement que désireuse de les rouler.

Sharon les avait dépeints d'une manière qui l'intriguait maintenant, son frère et sa belle-sœur dont Me Susane avait devant elle les visages comme sculptés dans la bienséance et le respect de la loi.

Sharon était allée jusqu'à la médisance :

— Ce sont des voyous, avait-elle affirmé avec une fougue inhabituelle. Ils retiennent mes papiers en otages. Ils veulent que je meure de chagrin, par jalousie. Mon mari, déjà, se meurt d'anxiété, il ne croit plus en lui, ils lui ont pris sa puissance et tout son courage. Ce sont des assassins, dans ma propre famille, je ne peux plus aimer mon frère ni me fier à lui. Des voyous, oui, des malfaiteurs.

Comment, songeait Me Susane en observant ses hôtes d'un œil réservé, deux figures aussi franches, civiles et gourmées auraient pu être celles de bandits ?

Elle ne comprenait pas encore très bien vers quel bureau s'en allait Ralph après le petit déjeuner, mais les activités qui constituaient le travail de Christine à l'épicerie, dès sept heures, elle en avait maintenant une idée précise.

Elle se rappelait certaines insinuations de Sharon quant à la langueur regrettable de sa belle-sœur, voire la paresse de cette dernière qui se serait, selon l'expression de Sharon, « laissée vivre » au détriment d'une nécessaire progression de ce couple modeste vers un plus grand confort.

Elle ne fait pas grand-chose, avait laconiquement jugé une Sharon forte de sa propre sève inépuisable.

Alors que Christine, pourtant, travaillait si dur !

Me Susane adressait à Sharon, en pensée, des reproches vigoureux.

N'avez-vous pas vu, Sharon, quand vous viviez encore ici, à quel point elle se lève tôt, se couche tard, déjeune rapidement, et comme elle tient parfaitement seule et proprement et très efficacement cette épicerie qui fait en outre bistrot ? Comment vous, Sharon, qui savez par expérience ce que signifie se donner de la peine, avez-vous pu trouver chez Christine la moindre nonchalance, la moindre fainéantise ?

Qui était Principaux pour elle ?
Comment s'appelaient véritablement les Principaux ?

Bien qu'elle luttât visiblement contre son goût ou son habitude du secret, contre son assujettissement à celui-ci ou à l'impénétrable conscience de son devoir vis-à-vis de lui (le saint secret), Sharon s'était résolue à livrer à Me Susane quelques détails ou épisodes de sa vie à Port Louis, quand elle habitait chez Christine et Ralph qui étaient ses aînés de six ou sept ans et qu'elle dormait, avait cru comprendre Me Susane non sans émotion, dans cette même chambre, ce même lit dur, et s'éveillait chaque matin inondée de la même lumière triomphale.

Sharon, racontant, avait brouillé, volontairement ou non, la chronologie des événements.

Me Susane ne savait dire si Sharon avait logé chez son frère avant d'avoir rencontré son mari ou après, si le mari avait également vécu là ou non, si même frère et mari se connaissaient, et le récit de Sharon, d'une manière générale, s'était attaché à laisser dans l'ombre tout ce qui ne semblait pas essentiel à la mission de Me Susane, point tant par modestie, par pudeur ou par crainte d'ennuyer que pour n'offrir à Me Susane qu'une tendresse économe, une prudente, stratégique manifestation d'amitié.

De ces propos mesurés, calculés tant en nombre qu'en valeur de signification, Me Susane retenait que Sharon et son frère Ralph avaient été très proches, s'étaient beaucoup aimés dans leur prime jeunesse (père maçon, mère au foyer) et que les avaient désunis les choix faits dans leur vie d'adultes ou les infortunes qu'ils avaient traversées, et probablement autre chose encore que celait soigneusement Sharon.

Il y avait eu, en tout cas, division, mésentente, colère et chagrin.

Cette discorde, cette brutale et profonde mésintelligence, Me Susane croyait pouvoir penser que ni Christine ni le mari de Sharon n'en étaient responsables, qu'ils n'avaient pas, éléments étrangers, brouillé la tendresse que se portaient le frère et la sœur, mais que la décision d'émigrer en France, et cela principalement, les avait séparés puis enfermés l'un et l'autre dans un silence oppressant, rancuneux.

Ralph, manifestement, avait jugé aberrant, présomptueux et sot le désir qu'avait Sharon de s'exiler.

Sharon était femme de ménage dans un hôtel de luxe où son mari, ou celui qui deviendrait son mari, s'employait comme jardinier – ou homme à tout faire ou préposé aux soins des oiseaux d'agrément, perruches, canaris, perroquets dont les cages ouvragées ornaient les salons de l'hôtel, ou peut-être encore commis de cuisine, Me Susane ne savait rien sûrement à ce propos.

Ce qu'elle croyait avoir appris de manière certaine, c'était que Ralph estimait objectivement satisfaisante l'existence que s'étaient créée Sharon et son mari grâce à leur labeur, à leur vaillance.

Ils avaient accosté aux rives d'un bonheur suffisant, jugeait Ralph selon Me Susane, et ne devaient pas miser tout entière cette humble félicité sur l'espérance vague d'une vie opulente loin de chez eux où leur manqueraient toujours la lumière, le verbe et la sincérité.

Mais Sharon, selon Me Susane, réfutait toute idée d'une destinée suffisamment bonne.

Contrairement à son frère qui pouvait se contenter des limites de ses propres élans, elle avait des enfants qu'elle ne voulait pas voir bondir dans une cage étroite ni dans nulle espèce de cage au demeurant, et Ralph en semblait fâché, presque offensé, et il lui assurait que les enfants grandiraient là-bas dans une niche plus flagrante et plus réduite encore.

Ces deux beaux enfants que Sharon avait précautionneusement éloignés de Me Susane !

Et Sharon, petite chèvre obstinée et piaffante, avait tenu tête à son frère raisonnable, tristement pondéré, elle s'en était allée en France puis s'était arrangée, une fois son campement établi, pour faire venir mari et enfants, ce dont Ralph lui en voulait encore, croyait comprendre Me Susane.

Sharon avait lancé quelque chose comme :

— Il s'était trop attaché à mes enfants, qu'est-ce que j'y peux ? Ce sont les miens, pas les siens, je n'allais quand même pas les lui laisser.

Elle n'avait dû prononcer, en vérité, que le tiers d'un tel propos, s'avouait Me Susane, mais c'était ainsi qu'elle avait interprété le cri de protestation de Sharon : Ralph, le frère chéri et infertile, ne lui pardonnait pas d'avoir emmené au loin sa nièce et son neveu aux cheveux soyeux, au doux visage de miel.

Voilà pourquoi il gardait par-devers lui le papier, l'acte de mariage que, depuis des mois, Sharon le suppliait ou lui intimait de lui envoyer.

— Il espérait que je viendrais le chercher, avait soufflé Sharon avec gêne, et alors là, clac, il me gardait prisonnière chez eux, Christine et lui, et sans même que je m'en rende compte, et le temps aurait passé et j'aurais travaillé à l'épicerie et je me serais endormie, je me serais oubliée et même les enfants restés en France, pfuitt, oubliés. Avec vous, ils ne pourront rien faire, ils n'oseront pas vous persuader de rester là-bas.

Ralph demanda à Me Susane si elle voulait une autre tasse de thé.

La petite cour bien balayée éclairait de sa lumière blanche et fraîche la cuisine par ailleurs presque obscure, nette et froide avec ses murs vert pâle, sa table de bois sombre, ses chaises de jardin en lattes de métal dures au fessier de Me Susane.

Il lui semblait, depuis son arrivée presque deux semaines auparavant, que l'intention sourcilleuse de ne paraître tirer ni plaisir ni déplaisir de quelque activité que ce fût gouvernait chaque journée de ses hôtes qui se montraient, en toute circonstance, quand elle les rencontrait ou, même, les surprenait, impassibles, laconiques, glacialement sereins, comme si, songeait Me Susane, ils se savaient sous le regard terrible de la Providence qui n'aime rien tant que punir les heureux, les fiers ou les contents.

Mais pouvaient-ils tromper un éventuel sort vengeur en affichant indifférence et désintéressement, si leur cœur complotait, s'affolait, saignait parfois ?

Sharon accusait Ralph et Christine de s'occuper d'elle, mentalement, jusqu'à l'obsession.

Leurs songeries hallucinées la traquaient jusqu'en France.

Je les entends parfois, ils veulent s'emparer de ma volonté, avait chuchoté Sharon au chevet de Me Susane.

Ou l'avait-elle rêvé ?

Elle ne pouvait trier entre ce que lui avait dit Sharon et ce qu'elle croyait avoir entendu de sa bouche.

La rassurait cependant l'intime conviction qu'elle était une bonne porte-parole des sentiments vaguement exprimés de Sharon, voire de ses sentiments inexprimés mais que Sharon avait su lui communiquer muettement durant cette période où, souffrant de désespoir, enfouie dans son lit et malade de tristesse, Me Susane avait senti son âme perméable à toute douleur informulée.

Comment Rudy pouvait-il ne pas deviner que Lila endurait quelque chose de révoltant ?

— Oui, merci, je veux bien encore un peu de thé, dit-elle de sa voix la plus digne.

Ralph lui versa un plein mug de cette boisson noire, forte et âcre que détestait Me Susane – un thé vénéneux, un incompréhensible breuvage au goût d'humus.

Mais elle ne refusait rien venant de ses hôtes, ni les biscuits très salés, huileux dont Christine préparait la pâte avant de se coucher et qu'elle faisait cuire au petit matin, ni les tranches de salami posées sur les biscuits tout juste sortis du four, ni la salade de fruits en boîte excessivement sucrée et douceâtre au goût de Me Susane.

Dans l'intérêt de Sharon, il lui semblait primordial de faire au couple la meilleure impression possible, quand bien même cette nourriture heurtait sa machinerie interne à tel point qu'elle remontait s'allonger, après le breakfast, dans sa chambre incandescente.

Sharon avait vécu là et nombre de touristes y étaient passés.

— Ils louent ma chambre, vous pourrez y rester autant de temps que vous voudrez, avait lancé une Sharon presque badine, ironique peut-être.

Soit elle voulait dire qu'elle ne se figurait pas une seconde que Me Susane aurait envie de séjourner longuement dans cette maison, soit, au contraire, elle taquinait Me Susane quant à la chance qui serait la sienne de conjuguer travail et vacances idéales, sacerdoce (secourir Sharon) et convalescence de rêve.

Résider chez Ralph et Christine réclamait certains efforts qui, bien qu'elle aimât s'y soumettre, sapaient une part non dérisoire du dynamisme de Me Susane.

Il lui fallait, ici, réfréner toute spontanéité dans ses propos, brider voire s'interdire tout franc-parler.

La chambre n'était pas chère.

Ses hôtes étaient secs et purs.

L'argent avait été trouvé.

Me Susane repoussait fermement ses pensées lorsqu'elles revenaient sur ce point.

Mais, de fait, l'argent avait été trouvé.

Il avait suffi qu'elle murmurât qu'elle n'avait pas les moyens d'un tel voyage pour que Rudy, de nouveau là près d'elle, assidu à son chevet comme Sharon et, de façon plus discrète quoique pantelante et profondément affligée, Lila, pour que Rudy la rassure d'une phrase :

— Ne t'inquiète pas, tes parents et moi y avons déjà pensé.

Ainsi Me Susane avait appris ou supposé que Rudy s'était entendu avec La Réole, sans lui demander son avis, et que l'argent du billet d'avion et du logement avait été réuni.

M. et Mme Susane, l'expédiant si loin, l'envoyaient-ils au diable ?

Espéraient-ils que, d'un enfer doux, elle ne leur revienne jamais ?

Ce matin-là Me Susane vida d'un trait sa deuxième tasse de thé.

Elle plongea vaillamment son regard dans les yeux

impavides de Ralph pendant que Christine, pressée de se mettre au travail, de, comme elle disait, « commencer sa journée », débarrassait la table, enlevait la tasse des mains de Me Susane, efficace, conversant muettement avec elle-même et presque irrévérencieuse à force de vivacité.

Raph allait se lever quand Me Susane tendit la main pour effleurer son bras.

Il sursauta et se frotta machinalement la peau là où elle l'avait touché.

Il la regardait cependant avec une curiosité non dénuée de gentillesse.

— Sharon m'a demandé quelque chose, commença Me Susane.

— Oui, dit Ralph. C'est mon unique sœur. Puisse-t-elle vivre longtemps et dans la joie.

— Elle m'a demandé, reprit Me Susane d'une voix très douce, de lui rapporter un document.

Christine, debout devant l'évier, cessa brusquement de laver tasses et assiettes.

Elle resta dos tourné néanmoins, écoutant, pensa Me Susane, de tout son corps.

— Oui, dit Ralph avec aménité, de quoi s'agit-il ?

— De son acte de mariage. Elle en a besoin en France.

— Très bien, dit Ralph.

Me Susane crut sentir qu'il était légèrement surpris.

Christine, alors, leur fit face, tendue, puissante, se dominant pour que son visage n'exprimât qu'un très vague intérêt.

Elle demanda à Ralph, désinvolte :

— Tu savais, toi, qu'ils étaient mariés ?

— Oui et non.

— C'est bien ça.

Elle paraissait soulagée.

Elle rinça la vaisselle, la rangea sur l'égouttoir, de nouveau concentrée non sur sa tâche mais sur celles à venir, sur toutes les besognes qu'elle aurait à effectuer dans la journée et dont elle devait, supposait Me Susane, penser l'ordonnancement.

— Sharon, continua Me Susane de sa même voix bienveillante, vous a demandé à de nombreuses reprises de lui envoyer ce document. Apparemment vous ne lui auriez pas répondu ?

Ralph haussa les épaules.

Il sourit de manière forcée, comme pour se donner le temps d'assimiler son propre étonnement puis de le camoufler à Me Susane.

— Elle ne m'a jamais rien demandé, dit-il froidement. Elle n'appelle jamais. Elle est peut-être mariée ou peut-être pas. Puisse-t-elle réussir au-delà de tous ses rêves.

— Puisse-t-elle réussir ! s'exclama Christine devant l'évier, sur un ton vibrant, profond.

— Vous ne l'avez donc pas, ce document ?

Ralph s'était levé, décidé à ne laisser maintenant nulle main enjôleuse voltiger vers son bras pour le retenir.

Me Susane ne cachait pas sa stupeur.

— Vous ne l'avez vraiment pas ? demanda-t-elle encore absurdement.

— C'est impossible que je l'aie. Dites-moi, pourquoi l'aurais-je ? Qu'est-ce qui existe réellement dans cette situation ? Puissent les enfants de Sharon vivre heureux dans leur nouveau pays. À présent je dois aller travailler ou je serai en retard pour la première fois de ma carrière.

Il lui adressa un bref, un sec salut de son torse bien

corseté dans une étroite chemise blanche, puis il quitta prestement la cuisine.

— Puissent les enfants de Sharon…, fredonnait Christine d'une voix distraite.

Me Susane, abattue, éprouva une violente réaction de rejet envers Sharon.

Si, spontanément, elle accordait du crédit à Ralph, si c'était à cet inconnu qu'elle donnait sa confiance et non point à Sharon qu'elle avait cru connaître un peu, c'était parce que Sharon, au fond, ne l'aimait pas, peut-être même l'avait-elle en horreur et s'était-elle permis, de ce fait, de lui raconter n'importe quoi, oh sans but ni tactique, par simple exécration.

Et, n'ayant plus foi en Sharon, Me Susane se prit à la détester.

Elle souhaita, pour se venger, réussir à la haïr plus intensément encore que Sharon la haïssait de toute évidence, sachant cependant qu'elle n'y parviendrait pas, que la freinerait toujours maintenant, sur la pente du fiel et de la rancune, la compétence désintéressée, soucieuse, presque amicale avec laquelle Sharon l'avait soignée à Bordeaux.

Mais que comprendre alors ?

Pourquoi Sharon triturait-elle si négligemment la vie de Me Susane ?

Ses doigts tremblotaient sur l'écran du téléphone lorsque, une fois remontée dans sa chambre, elle l'appela.

Sharon répondit immédiatement, ce qui déconcerta Me Susane et l'amena à chuchoter pour éviter que Christine, toujours affairée dans la cuisine juste en dessous, n'écoutât leur conversation.

Elle avait présumé que Sharon refuserait ou négligerait

de prendre son appel, le refuserait ou le négligerait toujours, à jamais !

— Sharon, je viens de parler avec votre frère, il n'a pas le document, il ne semble même pas voir de quoi il s'agit.

Sharon ne dit rien.

Le silence fut si long que Me Susane put en ressentir la texture.

Elle dut admettre, ébranlée, qu'elle avait outragé Sharon.

— Sharon, dites-moi, comment va Lila ? souffla-t-elle d'une voix implorante.

— Elle va très bien. Elle va très bien, oui. C'est une petite fille, consentit à répondre Sharon au bout d'interminables secondes de réticence blessée.

Elle ajouta :

— Le papier est rangé dans la commode de leur chambre. Mon frère Ralph peut dire une chose et son contraire, vous savez. Je le comprends car je l'aimerai toujours. Mais parfois son jugement n'est pas bon. Vous me forcez à le dire, je n'aime pas le critiquer. Je l'aime car je le comprends toujours. Quant à Lila, ce n'est qu'une petite fille, vous savez. Elle va bien, pas bien, c'est changeant, c'est comme ça. Le papier, madame Susane, je sais où il se trouve : dans la commode.

— Sharon, je ne vais pas fouiller dans leur chambre !

Elle eut un petit rire outré.

Elle leva la main vers son front où sa cicatrice soudain la picotait de nouveau.

— Sharon, que voulez-vous que je fasse de raisonnable, d'acceptable ?

— C'est à vous de voir. Moi je n'en sais rien. C'est vous qui avez promis.

— Pas exactement ! s'exclama Me Susane bien que Sharon eût déjà raccroché.

Peu après elle marchait dans la rue comme chaque matin mais une sournoise défiance, une suspicion feutrée envers elle-même nuisaient au plaisir qu'elle prenait d'habitude à se promener dans le quartier.

Elle salua d'un sourire et d'un hochement de tête le voisin de Ralph et Christine qui déverrouillait son rideau de fer – un marchand de tabac qui lui manifestait, depuis son arrivée, une sympathie éloquente quoique discrète, délicate, s'inclinant légèrement dès qu'il la voyait et par ailleurs fuyant son regard.

Me Susane, ce matin-là, avait la vue incertaine.

Elle ôta ses lunettes de soleil, les rechaussa, les enleva derechef.

Elle butait dans ses tongs.

Son pantalon léger, son chemisier ample lui semblaient coller à sa peau alors que la température n'était guère élevée encore.

Le mal qui l'avait frappée à Bordeaux l'avait amaigrie et rendue comme chancelante (son père ne considérerait sans doute plus à présent qu'elle ressemblait à un homme, se disait Me Susane avec colère).

Elle était longue et affinée, bizarrement étroite, elle vacillait dans ses nu-pieds comme sur des talons hauts et se sentait dépourvue, appauvrie.

Une puissance l'avait quittée, qu'elle avait méconnue quand elle la possédait et que M. Susane s'en alarmait.

M. Susane, il y avait bien longtemps, avait pris peur.

Elle avait alors éprouvé de la honte à cesser d'être gracieuse aux yeux de son père.

Maintenant elle regrettait sa robustesse, la chair abondante et dure qui avait enveloppé et comme tenu ses épaules, ses genoux.

Elle traversa la rue mécaniquement, sans savoir où elle allait ni s'en soucier.

Une brise froide tombée de la montagne, des verts sommets aigus passa fugacement sur le trottoir.

Sa sueur, sur ses mollets, devint glacée.

Était-elle là pour souffrir encore ?

Ou pour que Lila, si loin d'elle désormais, souffre sans recours ?

Sans pouvoir, avec ses pauvres moyens, l'appeler à l'aide ?

Me Susane n'avait jamais rencontré la mère de Lila ou bien, si cela s'était produit, ne s'en souvenait pas – jamais cependant, depuis la naissance de Lila, ne l'avait quittée la certitude qu'elle savait interpréter mieux que quiconque les sibyllines confidences de la fillette.

Rudy lui-même n'était pas initié.

Il prenait soin de son enfant chérie mais n'avait pas approché de son silence, ignorait qu'il y en eût un, acceptait Lila concrètement, tendrement et selon les termes indulgents de l'époque.

Me Susane était bien seule à comprendre que Lila ne pouvait décemment pénétrer chez Mme Principaux.

Que faisait-elle alors à déambuler dans Port Louis, sentant sur ses chevilles le souffle inamical de la montagne, supputant que Lila, de laquelle on l'avait soigneusement éloignée peut-être, rendait à Mme Principaux des visites qui l'enfonçaient dans le désarroi ?

Et dans la honte aussi ?

Mais à ce sentiment, par chance, Lila n'avait sans doute pas accès.

Ou si, naturellement, et Me Susane n'y avait pas pris garde, trompée par la personnalité rudimentaire de la petite fille ?

Comment savoir ?

N'aurait-elle pas dû être là-bas à protéger Lila plutôt qu'à tenter de servir ici les intérêts d'une Sharon qui, pour d'abstruses raisons, ne l'aimerait jamais ?

Elle entra dans une supérette qu'elle reconnut pour être celle où, chaque matin, elle achetait de quoi manger à midi.

Elle avait cru divaguer le long de rues inconnues, elle n'avait fait qu'emprunter son parcours habituel contenu dans un périmètre prudent autour de son gîte.

Sa douleur au front, ranimée depuis tout à l'heure, attisait sa fébrilité comme le sentiment grisant qu'elle avait d'une inspiration : la personne qu'elle devait soustraire à la malchance, à la disgrâce, à la solitude dans le malheur n'était pas Sharon mais Lila.

Oh ne s'était-elle pas trompée de martyre ?

Celle qu'elle avait pour mission de sauver, n'était-ce pas bien plutôt...

Elle acheta rapidement carottes râpées et jambon sous vide, échangea quelques mots avec la caissière, sortit hâtivement dans la rue où le même vent froid s'empara aussitôt de ses mollets tandis que son visage lui semblait cuire, exposé au grand soleil féroce qui s'éveillait.

Elle marchait aussi vite qu'elle le pouvait.

Elle devait rentrer immédiatement.

Mais où rentrer de façon utile, opportune et aussi peu douloureuse que possible ?

Au plus près, chez le frère de Sharon, ou chez elle à Bordeaux ou chez M. et Mme Susane qui ne pouvaient avoir oublié qu'elle était encore, il y a peu, leur fille adorée, l'unique descendance qu'ils auraient jamais ?

Ou chez Rudy, peut-être, puisqu'il était le père de Lila et que Me Susane n'aurait d'autre progéniture en ce monde que cette fillette démunie – et quelle tendresse elle éprouvait pour celle-ci !

Lila, quelque signification que cela pût avoir, était son enfant bien-aimée.

Comment avait-elle pu ne pas s'en rendre compte pleinement ?

Et abandonner Lila aux mains inconséquentes d'un père incapable de détecter, de humer puis de localiser la profanation – *de loger le mal* ?

Qu'avait dit Sharon à ce propos ?

Que Me Susane *se trompait d'adresse* ?

Pour tenter de se souvenir, elle s'arrêta net.

Ses chevilles, ses pieds que glaçait l'haleine de la montagne étaient devenus insensibles cependant que suaient, sous l'effet d'un étrange supplice, son front, ses joues, sa nuque.

Ce que redoutait Me Susane, la source de toute mauvaiseté, s'était établi transitoirement chez Ralph et Christine, avait affirmé Sharon, et non chez Mme Principaux.

Elle avait dit quelque chose de ce genre, oui.

Pour la leurrer ?

Pour l'expédier à Port Louis et pouvoir emmener tranquillement, quotidiennement Lila dans l'antre de la Principaux ?

Me Susane, dans sa défiance, n'allait néanmoins pas jusque-là – encore que ?

Elle reprit le chemin de sa chambre.

La tête bouillonnante elle s'allongea sur le lit, pensant

seulement se reposer – et réchauffer ses mollets et rafraîchir sa figure.

Elle discernait au-dessous les menus bruits de l'activité de Christine qui avait ouvert sa boutique et servait déjà le café à ses habitués.

Comme Me Susane, enfant, avait aimé entendre M. et Mme Susane s'affairant le matin, discrètement pour ne pas la réveiller, dans la cuisine exiguë où ils buvaient, silencieux, de longs cafés bien forts, puis à une heure très précise, calculée pour que Me Susane pût se reposer autant que possible sans qu'on fût cependant contraint de la bousculer par la suite, l'un ou l'autre entrait dans sa petite chambre, lui caressait le front, feignant délicatement de croire qu'elle dormait encore !

Me Susane se réveilla les joues mouillées.

Elle avait rêvé tristement, à sa grande surprise.

Surtout, ce qu'elle n'avait pas prévu, elle s'était endormie.

L'idée l'avait toujours perturbée qu'elle pût former en dormant des songes mélancoliques mais jamais de rêves qui lui auraient appris, fût-ce par d'innombrables ricochets mentaux, ce qu'elle voulait savoir.

Elle avait vu ses parents, la maison de La Réole, stérilement.

Pourquoi la netteté de ses visions nocturnes ne se rapportait-elle jamais à Principaux, à la maison de Caudéran ?

D'humeur maussade elle quitta son lit.

Un papier y était posé, qu'elle fit tomber involontairement.

Elle descendit en toute hâte à l'épicerie, pieds nus.

Christine finissait d'encaisser une cliente qui jeta à

Me Susane un coup d'œil réprobateur – son visage ahuri, transpirant, sa rude chevelure hirsute ?

Guère plus amène fut l'attitude de Christine dont les traits parurent s'empreindre d'une roide, d'une instinctive dignité à proportion inverse du négligé et de la véhémence, du débraillé et de l'inquiétante frénésie qu'elle croyait constater sans doute en la personne de Me Susane.

Celle-ci se redressa.

Elle fit mine de vouloir aplanir ses cheveux hérissés, les caressa d'une main diplomatique, rassurante – ces cheveux vilains qui avaient si fortement désolé son père !

— Merci, dit-elle d'une voix contrainte. Merci pour Sharon, je veux dire.

— Très bien, dit Christine sur un ton qui signifiait : N'en parlons plus.

— Ah !

Me Susane, déçue mais opiniâtre et curieuse, souleva les bras, paumes en l'air, avec un petit sourire buté.

Christine alors s'emporta :

— Ce papier, on ne l'avait pas ! s'écria-t-elle. Ralph l'a trouvé quelque part, il s'est donné du mal. Il a dit adieu à sa sœur et aux enfants, il ne les reverra jamais et s'il les revoyait il ne les reconnaîtrait pas et eux n'éprouveraient rien pour lui. Ils sont morts à son amour, à sa tendresse. Il m'a demandé si on pouvait se souvenir de ce papier, le trouver ou le retrouver ou même en fabriquer un et je lui ai dit d'accord, qu'on en finisse avec cette histoire. Sharon, elle ne nous demandera plus rien. Vous verrez qu'elle nous oubliera complètement maintenant qu'elle n'a plus de raison de nous parler. Elle a eu ce qu'elle voulait et ce n'est pas joli joli. Je ne maudis jamais personne, par principe et par prudence. Mais ce papier ridicule ne lui apportera rien de bon.

Christine se retourna pour respirer un grand coup, pudiquement.

Les chairs plissées de sa nuque tremblotaient.

— Ce papier, dit Me Susane avec douceur, il n'était pas dans la commode de votre chambre ?

Christine fit volte-face.

— Pas du tout ! Ha ha ! Il n'était nulle part, Ralph a assez souffert maintenant, stop. Je ne dis pas, moi : Bénie soit Sharon ! Qu'on nous rende grâce à nous qui aimons ce que nous avons et ne cherchons pas à avoir ce qui ne nous aime pas. Béni soit Ralph le valeureux !

Elle applaudit à ses propres paroles avec un air de sarcasme désespéré.

Ses mains claquaient l'une contre l'autre, furieuses, bruyantes.

— Mais alors, murmura Me Susane, d'où sort-il ce papier ?

— De nulle part ! gronda Christine. Sharon a rêvé, exigé, elle a été récompensée. Moi je ne l'aurais gratifiée de rien du tout, que de mon silence. Mais Ralph l'aime, c'est sa petite sœur, voilà, et il s'est arrangé pour mettre au jour ce sacré document. Elle vous a envoyée jusqu'ici, Ralph lui répond, il lui cède, aussi pour que vous ne soyez pas venue pour rien car il vous respecte.

Au soir de ce même jour Me Susane guettait sur le trottoir le taxi qui devait la conduire à l'aéroport.

La nuit venait de tomber, une nuit suave, noire et tiède.

Me Susane, sa valise aux pieds, tenait fermement entre ses seins la lanière de son sac qu'elle portait en bandoulière.

De la rue dépeuplée, silencieuse émanait un vague relent de lait suri.

Mais un feu jubilant brûlait joyeusement dans le cœur de Me Susane.

Et comme elle était heureuse, contre ses propres attentes, de rentrer à la maison !

Bien que le quartier fût désert et que l'air immobile amplifiât le moindre son, elle ne vit pas venir l'attaque.

Soudain il fut derrière elle, dénué de toute odeur, ne faisant aucun bruit.

Il l'entoura de ses bras, tenta de la projeter au sol ou plutôt, comme elle en eut l'étrange sensation, de la faire glisser à terre afin qu'elle fût vaincue sans avoir mal.

Il enserrait ses épaules, tentait de la fléchir, et sa prise, ferme, assurée, était presque douce, comme si, pensa confusément mais rapidement Me Susane, il ne doutait pas de sa soumission, comme s'il ne jugeait pas nécessaire d'ajouter à l'inévitable désagrément de l'assaut la malpropreté de la violence.

Mais je ne veux pas être terrassée avec élégance !

Le feu âpre, sauvage et gai qui flambait dans la poitrine de Me Susane devint un brasier furieux, alimenté par le seul courroux.

Elle se débattit, rua, tenta de mordre.

Ses dents effleurèrent quelque chose de mou, d'incertain.

Tandis qu'il restait muet, robuste, presque accommodant et que, son intention, elle ne pouvait la deviner.

La passion de Me Susane s'en trouva accrue.

Elle agrippa les bras qui la maintenaient, en griffa la peau nue et froide, elle criait peut-être, jurait et maudissait, elle ne s'en souviendrait plus.

Alors, ébranlé quoique silencieux, il relâcha son emprise.

De son pied lancé en arrière elle le frappa au genou.

Il cessa de lutter sans dénouer cependant ses bras qui l'enlaçaient.

Elle le sentait flasque et tendre et comme satisfait de ne l'avoir emporté en rien.

Me Susane chuchota avec colère :

— C'est toi, Principaux ? C'est comme ça que tu t'appelles ?

Il la tenait toujours.

Elle était faible soudain, les bras l'étouffaient.

Honte et pusillanimité avaient été consumées, mais aussi témérité, aplomb, bravoure.

— Comment t'appelles-tu ? répéta-t-elle, épuisée. Principaux ? Qui es-tu pour moi ?

Il ricana, ni méchant ni railleur toutefois.

— Et toi ? souffla-t-il.

Il la lâcha, si inopinément qu'elle faillit tomber alors que l'offensive l'avait laissée debout.

Il s'éloigna en courant d'un pas léger, frivole.

— Principaux, je ne te dirai jamais qui je suis ! cria Me Susane. Jamais, jamais, tu entends ?

Le taxi arriva et Me Susane, à l'instant d'y monter encore tremblante, fougueuse et persuadée de sa victoire, constata qu'elle n'avait plus son sac en bandoulière.

Lorsque, quelques jours plus tard, elle fut de retour à Bordeaux, le moment qu'elle avait craint se présenta très différemment de ce qu'elle avait imaginé.

Non seulement, quand elle dut avouer à Sharon qu'on lui avait volé son sac et que celui-ci avait contenu l'acte de mariage, Sharon ne parut ni abasourdie ni affligée, mais

Me Susane elle-même éprouva une intense impression de *délestage.*

Elles se tenaient toutes les deux dans la cuisine que Sharon avait éclairée au maximum.

Me Susane ne pouvait s'empêcher de porter la main à son front.

Ne voyez-vous pas, Sharon, que ma cicatrice a pratiquement disparu ? Sharon, n'aviez-vous vraiment pas remarqué à quel point j'étais incisée, entamée ?

Comme il faisait encore froid à Bordeaux !

Les vitres ruisselaient à l'intérieur.

— À quoi ressemblait-il, celui qui vous a agressée ? demanda Sharon sur un ton d'intérêt courtois.

On avait posé, à l'ambassade, pareille question à Me Susane qui n'avait pu que répondre, désolée mais sincère et quelque peu mal à l'aise :

— Je ne sais pas, je n'ai pas vu son visage.

— Un jeune homme ? Un homme mûr ?

— Je ne saurais dire.

De même répondit-elle à Sharon :

— Je n'ai pas vu son visage.

Il lui sembla que Sharon n'était pas mécontente que le sujet fût de la sorte éliminé.

— Je suis navrée, commença Me Susane.

— Ça n'a pas tellement d'importance, interrompit Sharon.

— Si, pour votre dossier.

— Je ne crois pas, non, ne vous en faites pas.

Sharon considérait Me Susane avec une gravité perplexe.

Elle dit doucement :

— Rudy va vous débarrasser de mon dossier, madame Susane. Il va s'en occuper, ce sera plus simple pour vous.

— Oh ! murmura Me Susane, à la fois interloquée et immensément soulagée.

— Par ailleurs, madame Susane...

— Sharon, appelez-moi H...

— Par ailleurs je vais cesser de travailler chez vous. Ce n'est pas utile, n'est-ce pas ? Ma présence ici ?

Puis, comme à son habitude, elle quitta la pièce brusquement.

Cela ne signifiait pas, se permettait maintenant de penser Me Susane, que Sharon lui faisait grief de quelque chose mais simplement que, ne pouvant la comprendre ni quant à ses motifs ni quant à ses desseins, ressentant de ce fait un embarras navré, elle préférait délivrer Me Susane de sa présence au cas où celle-ci eût pu sembler désapprobatrice.

Me Susane, le lendemain matin, marchait à grandes enjambées vers son cabinet lorsqu'une main délicate lui attrapa le coude.

Un vent aigre sifflait dans la rue.

Le passage d'un endroit à l'autre n'était que grisaille, morne souffrance.

Mais ce sinistre cheminement ne pouvait entamer l'allant, presque l'euphorie de Me Susane non plus que, sur son bras, les doigts circonspects de Gilles Principaux.

— J'allais justement vous voir, dit-il d'une voix plaintive. Où étiez-vous passée ? Je suis allé tant de fois au cabinet et vous n'y étiez jamais !

— Me voilà revenue, dit vivement Me Susane.

— Je remarque que vous ne boitez plus, c'est bien, je suis content pour vous.

Il s'efforçait de sourire avec cordialité.

Mais son regard restait à la fois absent et tourmenté, insoucieux de ce sur quoi il se posait : le visage de Me Susane.

Il n'avait pas bonne mine, les traits émaciés, le cheveu un peu long autour des oreilles.

Tu ne m'intéresses pas et je ne te crains plus. Tu ne m'intéresses pas, je ne me préoccupe plus de savoir qui tu es pour moi. Tu n'es à présent que le mari de Marlyne, un certain Gilles Principaux dont je n'ai à savoir que ce qui peut servir ma défense de sa femme. Tu es défait, j'ai lutté, triomphé, tu ne me concernes plus.

Elle avait parlé muettement, aussi Principaux ne réagit-il point.

— Non seulement Marlyne ne veut plus me voir mais elle voudrait divorcer, dit-il alors.

Les bourrasques amères coloraient son long nez.

Bien que Me Susane grelottât elle n'en laissait rien paraître.

Il était là, devant elle, Principaux – rien que lui, l'époux de sa cliente.

Avoir la force de s'y résoudre !

Elle scrutait sa figure, travaillant à ce qu'elle lui devînt étrangère et que pas le moindre de ses traits ne lui rappelât qui que ce fût.

Au cabinet, Me Susane écrivit à son client qui voulait changer de nom.

Elle avait trouvé mention, dans une parenthèse d'un très ancien article sur la traite négrière à Bordeaux, d'un certain personnage dont le patronyme n'était pas sans quelque similitude avec celui de son client – deux consonnes et une voyelle différaient toutefois, ce qui, s'autorisait à dire Me Susane dans son courriel, ne laissait guère préjuger d'une authentique relation de parenté entre cet individu et son client.

À peine eut-elle envoyé son message que la réponse lui parvint :

« Creusez, Maître, creusez encore mais, avant tout, merci ! Je me sens déjà lié à ce N..., terriblement. Quelques lettres dissemblables n'y changent rien, vous savez comme moi que l'orthographe des noms, dans une même famille, pouvait être changeante autrefois. Merci, Maître. Je ne renoncerai jamais à ma foi dans la culpabilité de tous les N... de cette ville. »

Puis elle reçut la visite d'une femme de Bazas qui, ayant frappé au visage l'un de ses voisins et se trouvant, de ce fait, l'objet d'une plainte, pressa Me Susane de l'affermir dans sa conviction qu'elle n'aurait pu agir autrement.

Car le voisin, chaque matin, sans jamais ramasser les excréments, avait laissé son chien ou peut-être même fait crotter son chien, exprès, devant la porte de cette femme qui avait enduré une telle rosserie de longues années durant.

— Maître, j'ai craqué, n'est-ce pas normal ? Je lui ai donné un coup de poing dans le nez, son affreux pif plein de morgue. Mes doigts sont encore douloureux. Mais qu'est-ce que je pouvais faire ?

Un midi, lors d'un dimanche obscur et froid, Me Susane s'asseyait dans la cuisine de ses parents, sur sa chaise habituelle.

Elle s'en trouvait à la fois émue et déconcertée, comme si un hasard étonnant l'eût amenée jusqu'à la maison de son enfance et nullement sa volonté ou son désir, à tel point qu'elle se revoyait à peine roulant dans son antique Twingo jusqu'à La Réole – ô combien brumeuse et rogue la vieille ville figée dans l'hiver !

Rudy et Lila, arrivés avant elle, pareillement installés chacun à sa place familière, attendaient avec de cajoleuses manifestations d'impatience gourmande à l'égard de Mme Susane que cette dernière servît l'entrée, un assortiment de pâtés et de saucissons.

Mme Susane était exceptionnellement apprêtée, espiègle, presque folâtre.

Elle avait aux oreilles les perles discrètes de ses fiançailles.

Et sa chevelure courte, clairsemée était teinte de frais, semblait-il à Me Susane, d'un châtain-roux qu'elle ne se rappelait pas avoir jamais connu à sa mère et qui, quand Mme Susane lui avait ouvert la porte, l'avait interloquée : qui pouvait bien être cette dame ?

Mme Susane, soudain, leva les mains au-dessus de sa planche à découper.

Elle les écarta lentement de sa poitrine, ouvrit en corolle ses doigts qui tremblaient légèrement.

— Ma fille, je suis tellement heureuse que tu sois là, chuchota-t-elle.

Ses yeux se mirent à briller.

M. Susane, debout auprès d'elle, s'appuya des deux mains au dossier d'une chaise.

Remué, il suçotait sa lèvre inférieure tout en lançant à Me Susane des coups d'œil qui s'excusaient d'une telle démonstration de sentiments.

— Nous sommes tous bien heureux, oui ! s'exclama Rudy.

Il se leva d'un bond, enlaça Mme Susane.

Puis il se pencha et jeta les bras autour des épaules de Me Susane.

— Ça va petite mère ? lui murmura-t-il à l'oreille.

Ainsi avait-il eu coutume de l'appeler, amoureux et taquin, au temps de leur liaison.

Mais quelle n'avait pas été la stupéfaction de Me Susane lorsque, entrant dans la cuisine derrière la dame aux cheveux marron, elle avait découvert la présence de Rudy et de Lila !

Rudy l'avait embrassée sur la bouche.

Lila s'était collée à sa poitrine en gémissant de plaisir.

De quel enfer sortons-nous ? s'était demandé Me Susane, désarçonnée.

De quelle bataille ?

Et avons-nous vaincu ?

Qui sommes-nous, ici même, les uns pour les autres ?

Qui est Lila pour moi ?

Une blessure, un signe, une chance ?

Un Mystère ?

Elle sondait fiévreusement le visage de la fillette cependant que Rudy, comme il l'avait toujours fait – s'étant gagné ainsi, gentiment, de bonne foi et coupable de nulle condescendance, le dévouement impérissable des Susane –, plaisantait ses hôtes.

— Ce n'est pas grâce à vous que je vais retrouver ma silhouette d'été, feignait-il de grommeler en humant cocassement les senteurs grasses qu'exhalait le four.

— Tu as besoin de te remplumer mon pauvre ! s'écria M. Susane.

— C'est vrai, tu es affreusement maigre.

Mme Susane pinça le ventre plat, dur, sportif de Rudy, elle prit la liberté de soulever son pull pour toucher, comme le font les mères ou les belles-mères aimantes, les épouses ou les compagnes éprises, sa peau tiède, innocente.

Dans cette petite cuisine flottait une joie chaste, se dit Me Susane avec étonnement.

Lila haussait vers elle ses traits lavés de toute désolation.

Elle était ouverte et neutre, satisfaite – à l'excès ? se demanda Me Susane.

Le souvenir d'aucun supplice, d'aucun étourdissement, d'aucun parjure ne pouvait se soupçonner sur sa mine apparemment confiante.

Me Susane lui caressa le cou, l'arrière des oreilles.

Lila ronronna.

Mais ses attentes énigmatiques, ses vœux impénétrables ne lui réclamaient-ils pas de sembler aller bien à outrance ?

Et Lila n'avait-elle pas pris l'habitude, s'interrogea Me Susane non sans angoisse, pour ne pas tracasser Rudy, d'afficher toutes les apparences de la sérénité ?

Elle posa les mains sur les joues de Lila.

Le visage de l'enfant était opaque, muet, imperméable à toute velléité de compréhension.

Bien loin pourtant de Me Susane l'envie de gâter l'ambiance chaleureuse, enjouée que bornait et ennoblissait la blanche lumière de la suspension d'opaline, si loin d'elle qu'elle n'essaya même pas de retenir la main de Mme Susane qui resservit Lila de chaque plat : charcuterie, gigot d'agneau, pommes dauphine, cornets de glace.

Pourquoi la gavez-vous ainsi ? Ne voyez-vous pas qu'elle a un problème de poids ?

Elle ne dit rien, souriante et, tout compte fait, plutôt heureuse.

Chaque fois qu'elle croisait le regard de Lila ses lèvres formaient silencieusement ces mots : Je suis revenue.

Du fond de son cœur solitaire Lila, peut-être, la comprenait.

Après le café et comme les Susane emmenaient Lila dans l'ancienne chambre de leur fille pour la sieste, Rudy tira sa chaise tout près de celle de Me Susane.

Il posa sur ses épaules un bras léger, délicat, il murmura :

— Nous l'aimons tant, toi et moi.

Madame la Présidente, Mesdames et Messieurs les jurés…

… Car que savons-nous sur ce qui s'est passé dans cette maison et de quels chagrins, de quelles craintes et acrimonies, de quels dégoûts, de quelles rancœurs elle conserve le souvenir ? La maison sait tout et n'oublie rien. Sous la torture de nos esprits inquisiteurs elle ne reste pas toujours muette. Faisons-la parler, cette jolie maison du Bouscat où Marlyne, Gilles, et Jason, John et Julia ont mené, soi-disant, une vie tranquille, normalement heureuse et banalement dédiée à la perpétuation des amertumes jamais dites…

… Que s'est-il passé dans cette maison ? Des ailes immenses l'ont enveloppée, les ténèbres s'y sont abattues…

… Gilles Principaux exploite l'obscurité, il nourrit son obsession, travaille à son plan : que Marlyne soit environnée de solitude…

… Qu'il se retrouve être l'unique adulte dans l'entourage de Marlyne…

... Les enfants ne comptent pas et leur papa gentil leur inspire une grande terreur...

... Un dieu injuste et furibond, aux décisions imprévisibles mais irrévocables...

... Les enfants n'importent qu'au regard de cette préoccupation : que le vide soit fait autour de Marlyne...

... Elle doit être non pas séquestrée mais cantonnée, recluse de son propre chef...

... Non, les enfants, pour Gilles Principaux, ne comptent pas. Ils ne comptent pas non plus pour la maison complice, la maison qui voit tout et ne dénonce jamais, la maison qui n'aime personne mais préfère s'allier à l'être le plus puissant du logis... Oui, les maisons sont lâches, les murs ne soufflent mot. Pourtant nous pouvons, parfois, les amener à témoigner...

... Qui est-il donc, ce Principaux aux noms multiples, ce mauvais ange des foyers ?

... La maison avoue aujourd'hui...

... Oui, Mesdames et Messieurs les jurés, elle avoue, la maison qui collabore aux crimes, elle avoue et dit : J'ai été le suppôt de cet homme-là...

... Qui est-il donc ? Nous croyons le savoir à présent, nous nous disons cependant : et si je me trompais ?

Œuvres de Marie NDiaye (suite)

ROSIE CARPE, roman, 2001, prix Femina.
PAPA DOIT MANGER, théâtre, 2003.
TOUS MES AMIS, théâtre, 2004.
LES SERPENTS, nouvelles, 2004.

Aux Éditions P.O.L

COMÉDIE CLASSIQUE, roman, 1987 (repris dans « Folio » n° 1934).

Aux Éditions Flammarion/Musée d'Orsay

UN PAS DE CHAT SAUVAGE, 2019.

Aux Éditions L'Arbre vengeur

Y PENSER SANS CESSE, 2011.

À l'École des Loisirs

LA DIABLESSE ET SON ENFANT, 2000.
LE SOUHAIT, 2005.

Chez Albin Michel jeunesse

LES PARADIS DE PRUNELLE, 2002.

Composition : Nord Compo
Achevé d'imprimer
par CPI Firmin-Didot
à Mesnil-sur-l'Estrée, en décembre 2020
Dépôt légal : décembre 2020
Numéro d'imprimeur : 161335

ISBN : 978-2-07-284194-1/Imprimé en France

347860